In bed

Sarah Bilston

In bed

2006 – De Boekerij – Amsterdam

Oorspronkelijke titel: Bed Rest (HarperCollins)
Vertaling: Nellie Keukelaar-van Rijsbergen
Omslagontwerp en beeld: marliesvisser.nl

ISBN 10: 90-225-4444-3
ISBN 13: 978-90-225-4444-0

Voor Daniel en Maisie

I

Ik heb voor het laatst een dagboek bijgehouden toen ik twaalf was. Nee, dat is niet waar. Ik heb er ongeveer een halfjaar een bijgehouden toen ik verkering had met Mike Novak. Het moet nog ergens liggen. Het is een viezige groene ringband die voor de helft volstaat met puberonzekerheden over Mike, zijn vreselijke zoenen en zijn zielige fantasieën over een leerling-verpleegkundige die Susie heette.

Als je het wel en wee van je leven gaat opschrijven, geef je min of meer toe dat je niets beters te doen hebt. Het is het levensverhaal van iemand die niets meemaakt. Ik vraag me eerlijk gezegd af of het zin heeft om iemands belevenissen vast te leggen voor het nageslacht, tenzij je een wereldleider of een beroemde acteur of zo bent. En misschien zelfs dan niet. Ik heb een keer het dagboek van mijn oma gelezen. Ze schreef over het weer, uitstapjes met de vrouwenbond en de groei van haar pronkbonen. Als het zo moet, zet ik liever niets op papier. Laat mijn leven dan maar één grote lege bladzijde zijn, dan kan mijn toekomstige kleindochter zich inbeelden dat ik een aantrekkelijke vrouw was die in haar jonge jaren door talloze mannen met een olijfkleurige huid en zijden overhemden versierd werd.

Maar als je écht niets beters te doen hebt, is het best een

7

aardige bezigheid. De uren en minuten lijken minder leeg. Ik dacht, ik voelde, dus ik bestond. Ik zal deze ontboezemingen gewoon moeten verstoppen als ik ooit een kleindochter krijg.

Vanmiddag ben ik al iets voor drieën weggegaan van mijn werk. Ik werk bij... Wacht even, waar slaat dit op? Ik weet toch waar ik werk?

Tijd voor de eerste bekentenis. Ik ben een gestreste controlefreak. Dagen overslaan en dingen weglaten is niet mijn stijl. Ik moet álles vastleggen. De eerste regels in die groene ringband waren nog redelijk normaal: *Mike Novak heeft een gebruinde borst en zijn tepels worden hard als ik er zachtjes in bijt.* Op de vijfde bladzijde leek het al meer op een plakboek. Ik had een lijstje gemaakt met de belangrijkste personen in mijn leven:

1. Mijn moeder
2. Mike
3. Onze kat

Er stonden ook afschuwelijke gedichten in:

Mike is weg, mijn leven is
een zwarte bladzijde
een donkere nacht
een bodemloze zee
van
ongeëvenaarde ellende

Zodra ik een pen in handen krijg of een toetsenbord onder mijn vingers voel, ben ik niet meer te houden en binnen de kortste keren staat alles wat er door mijn hoofd spookt zwart op wit: feiten, verzinsels, gedachten, details, waanideeën, de hele mikmak.

Als ik dit over vijftig jaar teruglees, ben ik waarschijnlijk vergeten hoe het advocatenkantoor heet waar ik nu werk. Dan laat mijn geheugen me in de steek en zal ik het vreselijk irritant vinden dat ik vroeger die triviale details van mijn leven niet heb vastgelegd. Aan de slag.

Ik werk bij advocatenkantoor Schuster & Marks in New York, op de hoek van 55th en 5th Street. Vandaag draaide ik de deur van mijn kantoor iets voor drieën op slot, terwijl de printer nog pagina's uitspuwde van een resumé dat ik voor morgenochtend moet hebben nagelezen. Ik nam haastig de verwarmde draaideur aan de voorkant van het gebouw en rende de ijzige februarimiddag in. Er reden talloze taxi's voorbij. De beschut zittende passagiers keken emotieloos naar de hoogzwangere vrouw in een doorweekte camelkleurige jas die op en neer sprong op het glinsterende koude trottoir. Ik ben het belangrijkste vergeten: ik was gisteren, maandag, zesentwintig weken zwanger. Er zit niets anders op, dacht ik machteloos, toen ik ijskoude druppels aan mijn wimpers voelde hangen. Ik zette mijn kraag op, sloeg mijn handen om mijn enorme buik en rende de elf straten naar de praktijk van mijn gynaecologe, tussen hordes gehaaste voetgangers door van wie de gezichten strakgespannen stonden vanwege de snijdende wind.

De praktijk van dokter Weinberg ziet er even fraai uit als een galerie in Chelsea. In de wachtkamer hangen abstracte litho's in lichtzilveren lijsten. Bij de receptioniste staat een hoge, slanke glazen vaas met prachtige Zuid-Amerikaanse orchideeën, parelachtig wit met een vleugje lichtroze en diepliggende felgele harten. De gynaecologe is een vrouw van in de vijftig die er nog goed uitziet voor haar leeftijd. Ze heeft hoge jukbeenderen, een smalle bordeauxrode mond en zo te zien heeft ze een flinke elektrische schok gekregen toen haar haar in model werd gebracht.

Nadat ze wat vragen had gesteld, onderzocht ze mijn buik

en duwde hard onder mijn ribben en mijn middenrif. Ze pakte een opgerold meetlint en mat de afstand van mijn navel tot
mijn schaambeen. Vervolgens rolde ze op haar stoel met wiel-
tjes over de vloer, zocht iets op in een groot roze dossier en
keek me daarna over de rand van haar rechthoekige bril met
stalen montuur aan. 'U bent klein,' zei ze.

Wat? Ik ben enorm. Kinderen wijzen me na op straat.
Bouwvakkers vertellen me overdreven vriendelijk hoe ik bij
het dichtstbijzijnde ziekenhuis moet komen. Ik draag broe-
ken met grote nylon stukken aan de voorkant en een verstel-
bare elastische broeksband, en dan nog heb ik 's avonds het
idee dat ik vastgegespt zit in een martelwerktuig.

'Klein?' vroeg ik. 'Hoe bedoelt u?'

Ze legde uit dat de bovenkant van mijn baarmoeder niet zat
waar die hoorde te zitten – halverwege mijn kin dus – en ik
moest meteen een echo laten maken. In paniek belde ik Tom
(dat is mijn echtgenoot, voor het geval ik later aan een ernstige
vorm van alzheimer zal lijden) vanuit de wachtkamer, maar
voordat hij weg kon bij de zitting van de federale rechtbank
was ik al in een donkere ruimte drie deuren verderop waar
echo's worden gemaakt. Een dikke, uitdrukkingsloze vrouw
met kort grijzend asblond haar, een witte jas en een ruimvallende beige broek keek op toen ik binnenkwam. Zo te zien
bracht ze het grootste deel van haar leven ondergronds door.
Het grijswitte licht van het computerscherm zorgde ervoor
dat er een vreemd schijnsel op haar bleke ronde gezicht viel.

'Gaat u maar liggen,' zei de vrouw, met een knikje naar de
onderzoektafel naast haar. Ze draaide zich om en plaatste een
schijf in de computer die vervolgens eerbiedig zoemde en ra-
telde. Ik hees mezelf op de onderzoektafel en ontblootte mijn
buik, die op een witte walvis leek. Ik voelde me opeens heel
kwetsbaar en hoopte dat de vrouw iets geruststellends zou
zeggen. ('Ik weet zeker dat u zich nergens zorgen over hoeft te

maken. Dit gebeurt vaker. Het stelt niets voor.') Helaas. De echoscopiste kneep een halve tube dikke blauwe lauwe gel op mijn onderbuik en pakte toen, zonder iets te zeggen, een hard stampervormig apparaat.

Nadat ze veertig minuten naar het trillende zwart-witbeeld had gekeken, zei ze alleen dat ze weinig vocht zag.

'Wat betekent dat?' vroeg ik, terwijl ik naar het wit van haar ogen keek.

De vrouw haalde haar schouders op, zette het beeldscherm uit en liet de schijf uit de computer komen. 'U hebt weinig vruchtwater.' Dat zei me niets. 'De gynaecologe zal de uitslag verder met u bespreken.'

Ik wist nog steeds niet of dat betekende dat alles in orde was, maar ik werd kennelijk weggestuurd. De vrouw was duidelijk niet van plan nadere uitleg te geven en liep de gang op. De grote deur viel achter haar dicht. Alleen in het donker veegde ik met een grote prop ruw papier uit een houder boven de onderzoektafel de blauwe gel van mijn buik. Vervolgens hees ik mijn elastische zwangerschapsbroek omhoog. Terwijl ik mijn benen voorzichtig van de harde blauwe onderzoektafel af zwaaide, bedacht ik dat weinig vocht niet al te zorgwekkend klonk. Ik kreeg niet de indruk dat er iets mis was met de baby. Ik had hem op het beeldscherm gezien. Piepkleine ledematen die uitstaken, een voetzool die even vlak bij het apparaat kwam, vijf witte teentjes in een volmaakte boog. Ik had het idee dat hij gezond was. Optimistisch gestemd ging ik terug naar de gynaecologe.

Normaal gesproken kijkt dokter Weinberg slechts met geringe belangstelling naar me. Dat doen artsen nu eenmaal bij patiënten die in feite niets mankeren. Ditmaal was ze alert. Ze keek me scherp aan, alsof ze me pas voor het eerst echt zag. Misschien keek ik wel voor het eerst goed naar haar. Het bleef even stil. Toen schraapte ze haar keel.

Het drong tot me door dat er iets mis was.

'Cherise heeft me zojuist gebeld,' zei ze voorzichtig en op egale toon. 'De foetus heeft vruchtwater nodig om zich goed te kunnen ontwikkelen en dat hebt u niet voldoende. U moet meer vruchtwater krijgen, anders wordt de baby veertien weken te vroeg geboren.'

Tom was net op tijd om me een bruine papieren zak te kunnen overhandigen. Toen ik ophield met hyperventileren stelde hij de voor de hand liggende vraag. 'Dat spul, dat vruchtwater… Hoe kunnen we ervoor zorgen dat dat meer wordt?'

'Bedrust,' luidde het antwoord. 'De rest van de zwangerschap moet u volledig rust houden. U kunt op de bank of in bed gaan liggen, maar ik wil niet dat u loopt, tilt of meer beweegt dan strikt noodzakelijk is. U mag één keer per dag douchen, u mag zittend eten en u komt bij mij op controle, maar verder blijft u liggen.

Het goede nieuws is dat het tot nu toe goed lijkt te gaan met de baby,' zei de gynaecologe geruststellend, waarbij een vlaag van medeleven plotseling haar gezicht verzachtte. 'Ik breng niet alleen slecht nieuws,' voegde ze eraan toe. Het masker viel weg. Even ving ik een glimp op van haar ware persoonlijkheid, zoals ze zich tijdens een etentje zou gedragen, en zag ik haar als een moeder, een zus, een dochter. 'Cherise heeft niets gevonden wat op een genetische afwijking wijst en zo te zien zijn de nieren van de baby in orde. Ik denk dat uw placenta niet goed functioneert. Ga op uw linkerzij liggen, dan kan het bloed gemakkelijker naar de navelstreng stromen. Hopelijk zal de situatie zodanig verbeteren dat de foetus zich normaal ontwikkelt. Hópelijk,' herhaalde ze nadrukkelijk. 'Ik kan niets garanderen, maar u kunt er zelf veel aan doen door mijn instructies nauwlettend op te volgen. Ik wil u niet in Bloomingdales tegenkomen als het uitverkoop is. Begrepen?' Ze stuurde ons opgewekt naar buiten. 'Vooruit, kin in de lucht. Jullie komen hier wel doorheen. Afgesproken?'

Terwijl we in slakkengang in een taxi over Third Avenue naar ons appartement in East 82nd Street reden, dwarrelden er sneeuwvlokken onder de oranje gloed van de straatlantaarns, die opgezweept werden door de wind. Het waren net scholen piepkleine vissen in een amberkleurige zee. Door de beslagen ijskoude ramen zag ik mensen haastig over de glibberige trottoirs lopen. Sommigen hielden als bescherming hun aktetas boven hun hoofd, terwijl anderen met paarse vingers daarvoor *The New York Times* gebruikten. Op de harde achterbank probeerde ik naar links te leunen, terwijl ik naar mijn man keek. Tom tikte verwoed berichten op zijn BlackBerry. Hij had zijn schouders opgetrokken onder zijn marineblauwe wollen overjas en zijn gestippelde stropdas zat scheef. Met een gestrest gebaar haalde hij steeds zijn vingers door zijn zwarte krullen en zijn lippen bewogen snel maar geluidloos terwijl hij typte. Toen hij merkte dat ik naar hem keek, sloeg hij zijn ogen op. Hij moet de uitdrukking op mijn gezicht hebben gezien, want hij pakte mijn linkerhand en kneep er hard in. 'Sorry, schat, deze berichten moeten echt weg. Ik was druk bezig toen je belde. Hé, kom op,' voegde hij er zacht aan toe, terwijl hij me tegen zijn schouder aan trok. 'Kijk nou niet zo sip. Niet huilen! Het komt allemaal goed, met jou en met de baby, daar ben ik van overtuigd.' Ik begroef mijn hoofd in de donkere, troostrijke plek onder zijn kin en snoof zijn heerlijke warme geur op. Hij hield me dicht tegen zich aan en fluisterde geruststellende woorden in mijn haar. 'We redden het wel, heus.'

Eenmaal thuis ging ik in de woonkamer op mijn linkerzij op de gele stoffen bank met sierlijk bloemetjesmotief liggen. Een paar tellen later kwam Tom met een blauw-met-grijze wollen deken uit onze slaapkamer aanzetten, die hij voorzichtig over me heen legde en stevig instopte bij mijn voeten.

Vervolgens ging hij naar de keuken, vulde een grote kan met water en ijsklontjes en zette die op de teakhouten tafel naast de bank neer.

Hij bukte zich om zacht een kus op mijn voorhoofd te drukken. 'Je hoeft je vast nergens zorgen over te maken,' zei hij met vaste stem. Hij ging tegenover me op de leren fauteuil zitten. Maar toen hij een andere kant op keek, meende ik tranen in zijn ogen te zien. Ik kan me vergissen, maar volgens mij zag ik het echt.

2

Het is inmiddels zeven uur geleden dat we bij de gynaecologe weg gingen. Volgens mij hebben we iedereen gebeld: mijn moeder en zussen in Engeland, Toms ouders in Baltimore, zijn broer en schoonzus in Sacramento, wat vrienden. Ik vertel liever zelf wat er aan de hand is. Zolang ik het woord voer, kan ik doen alsof ik het verhaal verzin en wat aandik om meer aandacht te krijgen. Ik kan nog steeds degene zijn die ik twaalf uur geleden was: een vrouw die een aantal belangrijke punten had afgevinkt op de lijst van dingen die een moderne vrouw gedaan moet hebben voor haar dertigste, dat lijstje dat alle vrouwen van tegen de dertig in hun hoofd hebben zitten:

- ❀ Een goede baan vinden ✓

- ❀ Met een knappe man met een goede baan trouwen ✓

- ❀ Een flink banksaldo hebben ✓

- ❀ Zwanger raken ✓

Er zijn ook hokjes die ik niet heb kunnen aankruisen of waarvan ik het vinkje heb moeten weghalen sinds ik zwanger ben. Drie keer per week seks, bijvoorbeeld, en vijf kilo onder je ideale gewicht zitten. Die twee projecten zijn voorlopig op de lange baan geschoven.

Toms vader, Peter, is chirurg en reageerde heel laconiek op het vruchtwaterverhaal. We werden dan ook iets optimistischer, totdat Tom zei dat zijn vader zelfs een grap uit *Seinfeld* kan navertellen als hij een druipend mensenhart in zijn handen heeft. Hij raakt nooit uit zijn doen. Dat is prettig als hij je arts is, maar niet als het om je vader gaat. Tom geeft toe dat hij in zijn puberteit vaak heeft geprobeerd om respons van Peter te krijgen door allerlei gevaarlijke sporten te beoefenen, zoals paragliden, buiten de piste skiën, wildwaterkanoën. Geen van deze sporten lokte echter een reactie uit die heftiger was dan een opgetrokken wenkbrauw. Hij stond op het punt het criminele pad op te gaan om zijn vaders aandacht te trekken, toen een professor opperde dat hij eens moest meedoen aan een wedstrijd waar rechtzaken werden nagespeeld. Eindelijk had hij iets gevonden wat leuker was dan Peter stangen. Nu is hij ogenschijnlijk over zijn complex heen, hoewel hij zich nog steeds meer aantrekt van de mening van zijn vader dan hij zou willen. Nadat hij mijn zwangerschapsprobleem uit de doeken had gedaan, veranderde Tom subtiel van onderwerp en vertelde dat het erg goed gaat op zijn werk. Hij wordt binnenkort partner bij het advocatenkantoor waar hij werkt, een van de grootste in de stad. Als je hem hoort praten, zou je denken dat alles al in kannen en kruiken is, maar dat is niet zo. Hij maakt een goede kans, daar ben ik van overtuigd, maar slechts weinig collega's weten die laatste stap te zetten.

Daarna kwam zijn moeder aan de lijn. Het was een kort en hortend gesprek tussen twee mensen die geen genegenheid voor elkaar koesteren, zodat hun stemmen niet hartelijk klonken. Ze is een magere, zenuwachtige vrouw die tot de sociale en intellectuele elite van Boston behoort en ze heeft het Tom nooit vergeven dat hij geen meisje is, zodat ze haar jaren als elegante debutante opnieuw had kunnen beleven. 'Ik wist zeker dat het een meisje zou worden,' heb ik haar eens tegen een vriendin horen zeggen, terwijl ze samen een kopje Lapsang Souchong dronken. 'Hij lag immers zijwaarts in de baarmoeder,' voegde ze eraan toe, waarbij ze hem een verwijtende blik toewierp. Ze heeft door de jaren heen de nieuwtjes over Toms diverse academische en juridische successen aangehoord met de wat glazige blik van iemand die haar theerozen belangrijker vindt.

Tom loopt nu gehaast rond in onze kleine keuken. Hij propt plakken ham tussen stukken cranberry-walnotenbrood, terwijl hij in de telefoon schreeuwt in een poging een zakenreis te verzetten. Nu en dan rent hij naar me toe om me verontschuldigend een kus te geven en fluistert hij berouwvol in mijn oor: 'Ik moet het aan die jongens uitleggen, Q. Het spijt me heel erg. Je eten is bijna klaar.'

Zolang ik me kan herinneren noemt iedereen – vrienden en familie – me al Q. Iemand op school kwam erachter dat Q uit de James Bond-films eigenlijk majoor Boothroyd heet. Mijn achternaam is Boothroyd en mijn voornaam is Quinn dus je snapt het al. Ik vind het best leuk. Ik mag dan een saaie, respectabele, getrouwde advocate zijn, maar mijn naam doet denken aan een jong zangeresje dat in een parelkleurige terreinwagen met kogelvrij glas en met champagne doorweekte stoelen rondrijdt.

Zodra we terug waren van de gynaecologe heb ik naar mijn werk gebeld. Na de eerste verbazing ('Wát is er met het vruchtwater?') en een aantal langdurige stiltes stemde Fay – een van de partners bij Schuster – ermee in mijn lopende zaken onder de andere ervaren advocaten te verdelen. Ik ben nu op doktersadvies ontlast van al mijn verplichtingen. 'Ik wil geen teleconferenties vanuit huis. Begrepen? Verbreek alle banden met uw werk. Stress kan ervoor zorgen dat er minder bloed naar de baby gaat.'

Laten we eerlijk zijn: drie maanden niet naar kantoor hoeven is geen ramp. In New York worden advocaten inderdaad beter betaald dan in Londen, maar dit is niet de droombaan die me vier jaar geleden voor ogen stond toen ik uit Engeland vertrok. Het werk is hier net zo geestdodend en je moet veel meer uren draaien. Meestal komen Tom en ik elkaar 's morgens om zes uur tegen in de badkamer en nu en dan gaan we 's zondags aan het eind van de middag picknicken in Central Park. Hoe we erin zijn geslaagd een kind te verwekken is ons een raadsel. We zouden de oplossing zelfs niet weten als we ooit tijd zouden hebben om er samen over na te denken. Ik herinner me vaag wat hartstochtelijk geflikflooi na afloop van een chic feest om de advocaten te verwelkomen die van de zomer bij Toms kantoor in dienst waren getreden. We flirtten schandelijk tijdens het hoofdgerecht, betastten elkaar aangeschoten onder de tafel tijdens het nagerecht, rolden om twee uur 's nachts een taxi in en volgens mij hebben we het bij thuiskomst op de keukentafel gedaan, al ben ik daar niet helemaal zeker van. Ik vind het leuker om te denken dat ons kind toen is verwekt dan tijdens een van de keren dat we min of meer verplicht seks hebben gehad om de eenvoudige reden dat we toevallig allebei voor elf uur 's avonds thuis waren.

De komende drie maanden krijg ik in ieder geval de kans Tom weer goed te leren kennen. We houden van elkaar, maar ik heb gemerkt dat er de afgelopen maanden iets is veranderd. Er is een verwijdering ontstaan, zoals je tussen een boot en diens ankerplaats donker water ziet. Het is niets ernstigs, geen echte verwijdering. Ik heb het niet over buitenechtelijke verhoudingen, dreigende echtscheiding en dat soort dingen.

Geen sprake van. Als we af en toe eens een dag bij elkaar zijn, valt die afstand zelfs helemaal weg, verdwijnt tijdens een brunch in de West Village of een ontspannen wandeling over Washington Square, waar we elkaar vier jaar geleden hebben ontmoet. Maar een week later merk ik opeens dat hij er weer is. Ik betrap een van ons op een zelfzuchtig moment: irritant commentaar, zelfingenomen kritiek, een onnadenkende handeling, iets wat we nooit gedaan, gezegd of zelfs maar gedacht zouden hebben toen we elkaar net kenden.

Dat komt doordat we zulke lange dagen maken, maar het ligt ook aan de zwangerschap. Voor een man verschillen die negen maanden amper van negen willekeurige andere maanden in het leven van een volwassene. Tom heeft het over 'als de baby er is' alsof die niet nu al bij ons in de kamer is en flink trapt in mijn buik. Nog geen week nadat ik wist dat ik zwanger was, stond mijn leven volledig op zijn kop. De ene dag keek ik opgetogen naar het tweede streepje dat op het smalle grijze staafje van de zwangerschapstest was verschenen, de volgende dag kotste ik mijn avondeten uit in het toilet en leek de trap tussen de twee verdiepingen op mijn werk om onverklaarbare reden te zijn veranderd in de berg K2.

Nu ik plat moet liggen krijgen we de gelegenheid die afstand voorgoed te overbruggen voordat de baby komt. Wie weet komen we zelfs wel aan vrijen toe! Ik ben de afgelopen maanden niet bepaald opwindend geweest. Ik ben zo mijn bed in gedoken, nog te moe om mijn tanden te poetsen, laat staan dat ik puf had om de seksadviezen uit de *Glamour* op te volgen. Nu ik de komende veertien weken op mijn zij moet liggen, kan ik in ieder geval wat slaap inhalen, al betwijfel ik of het de ideale impuls is voor een ingedut seksleven. 'Hoi, schat. Ik heb de afgelopen duizend uur tv liggen kijken. Heb je zin?' En mogen we eigenlijk wel seks hebben nu ik rust moet houden? Daar heeft dokter Weinberg niets over gezegd, maar de bloedtoevoer naar de baarmoeder wordt dan natuurlijk wel minder, of misschien juist meer? Dat moet ik morgen op internet opzoeken.

Ik moet nog meer te weten zien te komen over mijn aandoening. Tot vandaag wist ik amper dat ik vruchtwater had en ik moet ook eens nalezen wat prematuur zijn precies inhoudt. Het hoofdstuk over premature baby's in het complete boek over zwangerschap heb ik namelijk overgeslagen. Veertien weken te vroeg klinkt als zo'n piepkleine baby uit de March of Dimes-campagne om mensen bewust te maken van het risico van vroeggeboorte, een soort buitenaards wezen met een doorschijnende huid en vingertjes zo groot als dennennaalden. Ik durf er bijna niet aan te denken. Ik ga maar eens googelen op 'zesentwintig weken zwanger'.

Dat levert veel hits op. Op een website over vroeggeboorte lees ik dat kinderen die met zesentwintig weken worden geboren een verhoogd risico hebben op ernstige aangeboren afwijkingen. Het goede nieuws is dat de overlevingskans bij dertig weken bijna negentig procent is en dat de kans dat het kind een zware aandoening heeft drastisch is verminderd. Ik moet dus alles in het werk stellen om meer vruchtwater te krijgen. Het kind moet nog minstens een maand blijven zitten. Dat betekent vier weken lang vierentwintig uur per dag op mijn linkerzij liggen. Als je erover nadenkt, is dat best te doen.

3

Dit is de eerste ochtend van mijn eerste volledige dag bedrust. Het gaat best goed. Mijn zus Jeanie zei gisteravond aan de telefoon dat ik me binnen vierentwintig uur zo stierlijk zou vervelen dat ik depressief zou worden, maar Jeanie kan zichzelf nog geen nanoseconde vermaken. Toen we klein waren, liep ze altijd achter Alison en mij aan. Dan probeerde ze ons over te halen om haar mee te laten doen en ze zette het op een gillen als dat niet mocht. Ik ben de oudste van drie kinderen en heb mezelf altijd prima kunnen vermaken.

Dit heb ik tot nu toe vanmorgen gedaan:

- Twee keer gecontroleerd of er e-mailberichten op mijn Yahoo-account waren binnengekomen. Oké, ik geef het toe: daarna heb ik nog een paar keer gekeken.
- *The New York Times* gelezen, inclusief het financiële katern.
- Op de website van *The New York Times* het laatste nieuws doorgenomen.
- Rekeningen betaald, zelfs die met torenhoge bedragen.

Hoog op de lijst van dingen die een moderne vrouw gedaan moet hebben voor haar dertigste, staat dat je bonnetjes van spullen die je met je creditcard hebt betaald niet meer achter in de *Cosmopolitan* moet verstoppen en dat je niet alleen het stadskatern van *The New York Times* moet lezen. Het is nog te vroeg om die punten nu al af te vinken, maar ik kijk er met hernieuwd optimisme naar.

Ik heb de tv nog niet één keer aangezet! Alison beweerde dat ik voor het eind van de week verslaafd zou zijn aan *Days of Our Lives*, maar tot nu toe heb ik genoeg te doen gehad zonder mijn toevlucht te hoeven nemen tot soaps en praatprogramma's, maar misschien ga ik vanmiddag om vijf uur naar *Ricki Lake* kijken. Het gaat vandaag over zwanger raken, dus dat spreekt me wel aan.

Tom stormde vanmorgen om zeven uur de deur uit en kwam vijf minuten later in paniek terug. Hij legde een stuk kaas tussen twee boterhammen en zette het bord op het tafeltje naast de bank. 'Sorry, schat, niet aan gedacht. Shit, ik ben veel te laat.' Dat zal mijn lunch dan wel zijn. Ik kom in de verleiding iets thuis te laten bezorgen, maar dan moet ik opstaan om de deur open te doen.

15.20 uur

Het lunchprobleem is opgelost door Brianna, die doorgedraaide assistente van mijn werk. Een maand geleden zijn we samen aan een zaak begonnen. We zijn dan wel geen dikke vriendinnen, maar in haar lunchpauze is ze naar de uptown-woonwijk gekomen waar ik woon. Ze had – het is echt ongelofelijk! – een pikante pizza met peperoni en een gemengde salade met een lichte dressing bij zich. Ik heb besloten dat ik de deur open moet doen als er wordt aangebeld, want anders word ik gek. Toen ik haar eenmaal had binnengelaten, ben ik braaf op de bank gaan liggen en heb ik een stuk pizza verslonden. Brianna zat op het rode Perzische tapijt, dat over de volle breedte van onze woonkamer ligt, en vertelde over haar gecompliceerde liefdesleven en de vervelende klusjes die je moet doen als je assistente op een advocatenkantoor bent. Acht maanden geleden heeft ze ontslag genomen bij de openbaar aanklager van Manhattan om voor Schuster te gaan werken. Bij ons krijgt ze weliswaar meer salaris, maar wordt ze slechter behandeld.

Er is vijf keer van kantoor gebeld sinds Brianna is vertrokken en al die telefoontjes gingen over werk. Geen punt. Gelukkig was ik ter voorbereiding op mijn zwangerschapsverlof al begonnen met briefjes bij mijn dossiers te doen. Mijn mailbox is waarschijnlijk al vol, maar daar trek ik me niets van aan. Als ze doorhebben dat ik mijn e-mail niet lees, laten ze me vanzelf met rust. Het kantoor lijkt gek genoeg al ver weg, het lijkt iets uit een andere wereld en een ander leven.

Nog een uur en veertig minuten voordat *Ricki Lake* begint. Wat zal ik gaan doen?

15.50 uur

Vanaf de bank kan ik in ieder geval naar buiten kijken. Ik zie de lucht en weet wat voor weer het is, iets waar Engelsen dol op zijn. Als ik mijn nek ver genoeg uitstrek, zie ik beneden op de kruising van 82nd en 2nd Street mensen op het trottoir lopen. Ik heb ook zicht op de bewoners van de bovenste twee verdiepingen van het kleine, in de jaren veertig van de vorige eeuw gebouwde appartementencomplex aan de overkant.

Het raam van de woonkamer is rechthoekig en erg groot. De makelaar die ons destijds rondleidde, noemde het een magnifiek middelpunt. In normale taal betekent dat simpelweg dat het vertrek op een langwerpige doos lijkt. Onder het raam staat een houten radiatorbank die net breed genoeg is om op te kunnen zitten. We hebben er wat chenille kussens op gelegd en het moet heerlijk zijn om daar een boek te lezen, maar daar hebben we nooit tijd voor. We hebben zware rode gordijnen tot op de houten vloer, die aan een lange ijzeren gordijnroede hangen. Een paar weken nadat we in het appartement waren getrokken, op een zeldzame dag dat ik niet naar mijn werk ging, heb ik in een antiekzaak om de hoek een bijpassende cranberrykleurige vaas op de kop getikt. Die staat op de Deense teakhouten tafel naast de bank en als het licht erdoor schijnt, zie je een felrode vlek op het hout erachter, alsof iemand een glas pinot noir heeft laten vallen. In de rechterhoek van de kamer, tegenover me, staat een oud lijkende bruine leren fauteuil. Tegen de geel geverfde linkermuur staan twee boekenkasten. In de kast het dichtst bij het raam staan studieboeken en paperbacks van John Grisham met reliëfletters op de voorkant – de meeste daarvan zijn op het vliegveld gekocht – kriskras door elkaar. Die kast is van Tom. De mijne staat dichter bij de bank en bevat een chronologischeverzameling poëziebundels, essays en romans van Austen tot Atwood. Verder staan er enkele familiefoto's in houten lijstjes en liggen er wat stukken zeeglas uit Engeland.

De woonkamer is klein – dit is immers Manhattan – maar hij is wel licht en gezellig. De verwarming staat hoog. Ik zie de warmte zinderen boven de radiatorbank. Ik gok dat ik in totaal hooguit tien uur in de woonkamer heb doorgebracht sinds we hier zijn komen wonen. De rest van mijn zwangerschap zal dit mijn wereld zijn.

Het gebouw hiertegenover wordt later dit jaar gesloopt. Naar verluidt komt er ecn groter en moderner gebouw voor in de plaats. Ik heb gehoord – van twee mensen die erover spraken in de lift of was het nou bij de brievenbussen? – dat het vreselijk beschimmeld is. Als ik mijn nek ver genoeg uitstrek, kijk ik zo in de woonkamers en voor zover ik dat kan zien wonen er vooral oudere mensen; de meeste zullen in de tachtig zijn. Ik heb ze een groot deel van het afgelopen uur geobserveerd, terwijl ze langzaam naar voren en naar achteren liepen en van de ene kamer naar de andere gingen. Ze lijken in een andere tijdszone te leven dan de rest van de bevolking. Ieder gebaar is weloverwogen en elke stap wordt voorzichtig gezet. Ik heb naar een oudere man liggen kijken die in het hoekappartement een lichtpeertje probeerde te vervangen. Het duurde ongeveer vijf minuten voordat hij boven op het huishoudtrapje stond, maar toen wiebelde de trap zo hevig dat hij het peertje liet vallen en opnieuw kon beginnen. Het was best vermakelijk. De vrouw in het appartement ernaast zit in de schemering tv te kijken.

18.02 uur

Shit! Ik heb het eind van *Ricki Lake* gemist (Ricki is geweldig) omdat Alison halverwege het programma aan de telefoon hing. Nu zal ik nooit weten wie de vader van Taysha's baby is. Erik of Vinnie? Ze zei dat ze wilde horen hoe het met me ging, maar volgens mij belde ze om zich te verkneukelen.

'Beloof me dat je het van nu af aan rustiger aan gaat doen,' kirde ze. Haar woorden dropen van zelfgenoegzaamheid en voldoening. 'Een zwangerschap vergt veel van je lichaam, Q, en ik kan het weten! Ik heb hetzelfde meegemaakt toen ik in verwachting was van Geoffrey, maar ik kwam er op tijd achter dat je rekening moet houden met de behoeften van het kind dat in je groeit. Het is gewoon belachelijk zo veel uur als jij werkt! Dat Tom tot in de kleine uurtjes doorgaat, is tot daaraantoe, maar in jouw toestand is dat niet verstandig. Ik denk dat dit een waarschuwing was, Q. Dat meen ik.'

Vervolgens moest ik twintig minuten gezeur aanhoren over naar je lichaam luisteren. Het lijf van een zwangere vrouw lijkt namelijk op een kwetsbare, ontluikende bloem en Alison en mijn moeder zeiden vorige week nog tegen elkaar dat ik er spijt van zou krijgen als ik niet minder ging werken. Alison zegt dat ze de halve nacht wakker heeft gelegen omdat ze zich zorgen maakt over de baby en mij. Volgens mij heeft ze zich in geen tijden zo vermaakt.

Alison heeft jarenlang een hekel aan me gehad, omdat ze last had van het tweede-kindcomplex. Toen we klein waren, wilde ze altijd hetzelfde doen als ik, maar dan beter. Dat lukte haar aardig totdat we naar de universiteit gingen. Toen ontdekte ze eindelijk dat er dingen waren die zij wel kon en ik niet – acteren, zelfverzekerd zijn, uitgaan met zeer aantrekkelijke mannen van adel – waardoor ze veel gelukkiger en nog onuitstaanbaarder werd.

Ik herinner me de teleurgestelde, ongelukkige uitdrukking op haar gezicht toen ik op mijn zestiende mijn eindexamenuitslag kreeg. Allemaal prachtige cijfers. Ze werkte zich het jaar erop, toen ze zelf eindexamen moest doen, zo uit de naad dat ze het carpakttunnelsyndroom ontwikkelde, waarvoor ze een halfjaar fysiotherapie heeft gehad. Ik herinner me het sprankje hoop in haar ogen, misschien was het zelfs wel triomf, op de dag dat ik te horen kreeg dat ik voor natuurkunde op A-niveau de verwachte tien niet had gehaald. Het gekke is dat ze beter in natuurkunde was dan ik, maar zelf haalde ze het jaar erop slechts een zeven. Ik weet niet of het door gebrek aan motivatie kwam of – wat Tom denkt – dat ze niet kon omgaan met het idee me naar de kroon te steken. Haar hele leven had ze al geprobeerd me voorbij te streven, maar toen ze daar de kans voor kreeg, durfde ze niet.

Maar goed, net als ik koos ze op het laatste moment voor Oxford en ging ze PPE (politieke wetenschappen, filosofie en economie) studeren. In tegenstelling tot mij gaf ze in het tweede jaar de brui aan haar studie om de hoofdrol te vertolken in *Guess Who's Coming to Dinner*. Ze ging zwarte spijkerbroeken en zwarte coltruien dragen en tweedehands suède jasjes die ze op Camden Market kocht. Ze verfde haar haar blond en draaide het in van die prachtige kleine glanzende knotjes die ze in haar nek vastzette met een gelakt eetstokje. En ze ging uit met een lange stoet woest aantrekkelijke acteurs die ook zwarte spijkerbroeken en zwarte coltruien droegen en kapsels hadden alsof ze zo uit bed kwamen. Ze werd op sociaal vlak succesvoller dan ik ooit was geweest. De jaren dat ik op de universiteit zat, liep ik eenzaam over Woodstock Road met zo'n vijfentwintig kilo boeken onder mijn arm, terwijl zij elke avond optrad en staande ovaties kreeg. Haar cijfers kelderden, maar daar zat ze niet mee. We gingen wel eens samen lunchen in de Covered Market. Dan kwam ze binnen terwijl er een pakje Camel uit haar broekzak stak (dit was voordat ze tot de conclusie kwam dat haar lichaam een ontluikende bloem was) en liet ze me weten dat ik geen benul had van het echte leven. Ik wil best toegeven dat ik bijna doordraaide. Ik was er zo aan gewend te proberen haar één stap voor te blijven. Ik wist gewoon niet wat ik moest doen toen ze.

de strijd staakte en genoegen nam met een lager niveau. Ik ben een paar keer naar een van haar feesten geweest. Die vonden meestal plaats in donkere rokerige kelders tussen stapels half afgemaakte decorstukken. Als er iets vernederend is, dan is het wel om de oudere intellectuele zus te zijn van een getalenteerde seksbom. Ik ging de concurrentie niet aan en dook weer in mijn boeken.

Terwijl ik in Londen een aanvullende rechtencursus volgde, ontmoette ze Greg en veranderden haar plannen. 'Acteren was leuk,' zei ze tegen me, 'maar je wordt er doodmoe van en het valt bijna niet te combineren met een serieuze relatie.' Ze had Greg leren kennen tijdens repetities voor *Caligula*. Hij was een van de acteurs met zo'n warrig kapsel en een bijzonder ongeloofwaardig Cockneydialect. Hij bleek nog nooit dichter bij East End te zijn geweest dan Liverpool Street Station, waar hij overstapte als hij op weg was naar het landhuis van zijn familie in North Norfolk. De hooggeboren Gregory Farquhar was niet van plan de rest van zijn leven op te trekken met straatarme acteurs. Zodra hij, met zijn hakken over de sloot, was afgestudeerd aan Oxford, wist hij niet hoe snel hij in de City moest komen, waar hij nu geld verdient als water door voor een vriend van zijn vader te werken. Greg was een goede vangst, laten we eerlijk zijn, en dat wist Alison ook. Ze trouwden op hun tweeëntwintigste. Er stond zelfs een stukje over hun trouwerij in het tijdschrift *Hello!* Alison stopte met acteren en legde zich toe op beeldhouwen. Ze werd dus een broedmachine. Tot nu toe heeft ze twee kinderen op de wereld gezet en ze wil dolgraag een derde.

Ze heeft dus meer ervaring met zwanger zijn dan ik en daar herinnert ze me steeds weer aan. Sinds de geboorte van Geoffrey, drie jaar geleden, verheerlijkt ze het moederschap. De laatste keer dat ze op bezoek was, zag ze de pil op mijn nachtkastje liggen en schudde zo weemoedig haar hoofd dat je zou denken dat het om harddrugs ging. 'Het moederschap schept een band tussen vrouwen, Q,' zei ze tegen me, met die vreselijke yogablik in haar ogen. Ze draagt tegenwoordig kleding van Gaultier, bezit een appartement in Pimlico dat 750.000 pond heeft gekost en ze heeft een persoonlijke spiritueel adviseur die haar helpt om verlichting te vinden. 'Het zou geweldig zijn mijn ervaringen als moeder met je te delen! Ik wil dat onze kinderen in dezelfde leeftijdscategorie vallen, dat ze elkaar als vrienden beschouwen en niet alleen als familie. Dat wil jij toch ook, Q?' Eigenlijk zijn Geoffrey en Serena vreselijke kinderen en ik hoop dan ook dat mijn kinderen gillend bij hen vandaan zullen rennen. Greg ziet zijn zoon en erfgenaam het liefst in een matrozenpakje en Serena draagt meestal een roze tutu en zegt tegen iedereen die het maar wil horen dat ze later 'pwinses' wil worden. Ik duim echt dat we een wilde dochter krijgen die Serena meetrekt achter de bosjes en dan…

Dat Alison denkt dat ze hetzelfde deed toen ze in verwachting was van Geoffrey slaat nergens op. Sinds ze met Greg is getrouwd, kun je amper zeggen dat ze een dag écht heeft gewerkt. Ze heeft haar eigen atelier – dat uiteraard door haar man is gekocht – en voor zover ik daar zicht op heb, is ze daar drie keer per week een paar uur te vinden en dan vertrekt ze weer met een pot zonder onderkant of een ander belachelijk voorwerp. Ze vindt zichzelf een echte kunstenares. Greg heeft een neef die kunsthandelaar is en iemand kent die ook weer iemand kent die een soort galerie in het zuiden van Londen heeft. Ongeveer om de drie jaar krijg ik een chic wit kaartje waar op staat dat ik word uitgenodigd voor de tentoonstelling van het werk van Alison Farquhar. Een kruiperige sukkel van de *Evening Standard* – ongetwijfeld een vriend van haar man – schrijft dan in de krant dat je die tentoonstelling niet mag missen. Maar dat kan ik natuurlijk niet zeggen.

Ondertussen wauwelt Alison maar door dat ze snapt hoe hoog de werkdruk is!

4

Donderdag, 10.30 uur

Toen ik herlas wat ik gisteren had geschreven, viel het me op dat ik (zoals de therapeut die ik vorig jaar korte tijd heb bezocht zou zeggen) niet weet wat ik met Alison aan moet. Ik moet daar verder over nadenken. 'Moeiteloos je jongere zussen de baas zijn' is een belangrijk punt op de lijst van dingen die een moderne vrouw gedaan moet hebben voor haar dertigste.

Ik was nog behoorlijk opgefokt toen Tom om tien uur thuiskwam en bovendien verging ik van de honger. Ik verlangde zo naar eten dat het water me in de mond liep, iets wat normaal schijnt te zijn als je zwanger bent. Hij had vanaf zes uur op het punt gestaan naar huis te gaan. Tegen de tijd dat hij eindelijk verscheen, kwam ik om van de honger, kookte ik van woede en ergerde ik me mateloos. Vijf minuten nadat hij was binnengekomen, vlogen de kussens die op de bank hadden gelegen door de lucht en gilde en huilde ik omdat hij onderweg geen afhaalmaaltijd had afgehaald. Nu moest ik nog een halfuur op mijn avondeten wachten.

Terwijl ik schreeuwde, met kussens smeet en foeterde zag ik opeens de uitdrukking op Toms gezicht. Zesendertig uur geleden was hij nog met een redelijk normale vrouw getrouwd, ook al heeft ze een accent waar half New York van in katzwijm valt, terwijl de andere helft aan Cruella De Vil denkt. Bovendien heeft ze een buik waar honden voor terugdeinzen, maar ik geloof dat ik dat al had gemeld. Verder was ze tamelijk gewoon. Binnen een dag is ze echter veranderd in een dansende derwisj, een Tasmanian Devil. Mijn man trok met een wanhopig gebaar aan zijn zwarte krullen en keek toe, terwijl zijn gekooide vrouw schuimbekte en ziedde van woede.

Ik hield op met huilen toen hij opeens op zijn knieën bij de bank kwam zitten en mompelde dat ik aan mijn vruchtwater moest denken. Bijna onwillekeurig legde ik mijn hand in zijn nek en liet die door zijn dunne donkere haar glijden. Nadat ik, om mijn standpunt te benadrukken, hortend en stotend nog wat dingen had gezegd en had geklaagd, pakte ik het telefoonboek van de onderste plank van de bijzettafel, smeet het in zijn richting en zei dat hij snel eten voor me moest regelen. Het was, verdorie, al tien uur.

Dit is de tweede dag dat ik moet platliggen. Tom en ik hebben onze dagindeling wat veranderd:

- ❀ Hij zorgt ervoor dat hij binnen een halfuur na het afgesproken tijdstip thuis is, zodat ik niet vertwijfeld in de schemering lig te wachten.
- ❀ Ik bestel eten bij een door mij gekozen restaurant en dat haalt hij dan 's avonds op.
- ❀ Hij maakt zelf een broodje voor me klaar of koopt een belegd broodje dat ik tussen de middag ook echt wil opeten en laat dat in een koeltas bij de bank achter. Hij zet ook een bakje met fruit en noten neer zodat ik tussendoor iets kan eten. Ik wilde eigenlijk om een rol chocoladekoekjes vragen, maar als ik niet uit-

kijk, kunnen ze me over veertien weken naar het ziekenhuis rollen.

❀ Hij zal proberen zich voor te stellen hoe het is om de
hele dag thuis te moeten blijven en ik zal proberen er
rekening mee te houden dat hij zich ook zorgen
maakt. Wat een onzin!

❀ Ik laat me niet overstuur maken door Alison.

Dat lijkt allemaal heel redelijk. Mijn broodje met mozzarella,
artisjok en pesto ligt op de bijzettafel – wat ervan over is dan,
want ik heb de helft vanmorgen al om halfnegen opgegeten –
en ik weet al wat er vanavond op het menu staat. Er zitten in
deze stad beroemde restaurants zat en ik heb drie maanden
de tijd om ze af te werken. Gewapend met een betrouwbare
restaurantgids en speciale bijlagen over voedsel uit *The New
York Times* die ik heb bewaard, heb ik in een mum van tijd besloten wat we de komende tien avonden zullen eten.

16.00 *uur*

Brianna is weer geweest. Dat was maar goed ook, want ik had
het broodje met mozzarella om elf uur al helemaal op. Ik begon echt hysterisch te worden, omdat ik niet wist hoe ik negen
uur moest doorkomen met maar twee kiwi's en een zakje
droog geroosterde pinda's. Toen stond Brianna op de stoep
met vier stukken pizza met een flinterdunne bodem die ze om
de hoek bij La Margherita had gekocht. Nadat ik drie stukken
ophad, begreep ze de hint en ging in de keuken een omelet
met ham en kaas voor me bakken. Bovendien had ze *chocola-*

te chip cookies voor me meegebracht, waarvoor ik haar kruiperig bedankte. Ik stopte er meteen een in mijn mond. De andere koekjes bewaarde ik. Die zou ik vanmiddag tijdens *Ricki Lake* opeten.

In ruil voor haar gulheid moest ik de saaie details over haar liefdesleven aanhoren. Mijn moeder zou zeggen: 'Het is geen licht.' Ze heeft al een jaar een verhouding met een getrouwde man die haar aan het lijntje houdt met zinnen als: 'Ik moet blijven in het belang van de kinderen' en 'Wat mij betreft trouwen we morgen, maar mijn echtgenote slikt kalmeringsmiddelen.' Ik dacht dat de laatste vrouwen van dat soort in de jaren vijftig van de vorige eeuw waren gemaakt.

Brianna is volgens mij iemand die mannen wel als minnares willen hebben, maar met wie ze nooit zullen trouwen. Ze heeft een prachtig décolleté, lange slanke benen en ziet er goed uit. Ze heeft lang, donker, steil haar en gek genoeg wat sproeten bij haar neus. Haar moeder stamt uit een oude Italiaanse familie die blijkbaar ooit enkele knusse villa's en een flinke olijfboomgaard in de heuvels rondom Florence bezat, maar alles is kwijtgeraakt in de jaren na de Tweede Wereldoorlog. De familieleden van vaderskant waren arme Ierse immigranten die bij aankomst in de Nieuwe Wereld aardig terechtkwamen als scheepsbouwers. Ondanks of misschien wel dankzij haar afkomst heeft ze een eenvoudige mysterieuze uitstraling en lokt ze door haar naïviteit uit dat mensen misbruik van haar maken. Ik kan me voorstellen dat sommige mannen dat onweerstaanbaar vinden. Toen ik liet vallen dat getrouwde mensen er een handje van hebben getrouwd te blijven, gingen haar donkere ogen iets verder open. 'Hij wil bij zijn vrouw weg,' verzekerde ze me ernstig. 'Daar moet hij het juiste moment voor vinden. Snap je?' Met een subtiel tikje van haar pols gooide ze haar haar over haar schouder.

Toen Brianna was vertrokken, heb ik op internet informatie over mijn aandoening gezocht. Er bestaat een mooie lange medische term voor: oligohydramnion. Verder heb ik me op verschillende tijdschriften geabonneerd: een mengeling van verantwoord (*The Economist, Time*) en minder verantwoord leesvoer (*Vogue, Harper's, Glamour* en in een opwelling ook een tijdschrift dat *Working Mother* of zo heet. Nadat ik door met de muis te klikken mijn abonnement had bevestigd, vroeg ik me in paniek af of ik ooit wel een werkende moeder zou zijn, maar ik mag de moed niet opgeven.)

18.15 uur

Waarom komt er steeds iets tussen als ik naar *Ricki Lake* wil kijken? Net als ik me verheug op een aflevering, zoals die van vandaag 'Ooit een del, nu helemaal in tel', gaat de telefoon of wordt er aangebeld en dan mis ik de talkshow.

Vandaag was het Fay van kantoor. Ze is bits en klein, heeft glanzend kortgeknipt bruin haar, is op zich best aardig, maar is altijd erg met haar werk bezig. Het verbaasde me eigenlijk dat ze kwam. Brianna zal wel iets hebben gezegd, want ze had een zak koekjes bij zich. Helaas niet mijn lievelingskoekjes, maar havermoutkoekjes met rozijnen en daar houd ik niet van. Wat ik vooral heel storend vind aan die koekjes is dat ze vanuit de verte op chocolate chip cookies lijken. Dan word ik al helemaal blij en dan valt het dus vies tegen.

Op het moment dat ze binnenstapte, was ik dus al prikkelbaar. Dat werd alleen maar erger toen ze een vreselijk boek met een harde kaft uit haar tas haalde en dat aan me overhandigde. 'Ik ben al heel lang van plan dit boek te lezen,' zei ze opgewekt, 'maar ik heb er, verdorie, geen tijd voor. Jij hebt nu tijd zat, dus dan kun jij het mooi voor me lezen. Dan wil ik na afloop graag horen wat je ervan vond. Ha, ha, ha!'

Niet grappig. Helemaal niet leuk. Er staan genoeg verantwoorde boeken in mijn eigen boekenkast. Hoe komt ze erbij dat ik dat boek voor haar wil lezen? Ik kan nergens naartoe en ik heb niets te doen. Wil die vrouw mijn bestaan dan echt in een levende hel veranderen?

Dat heb ik natuurlijk niet tegen haar gezegd. Ik zei: 'Wat leuk! Het lijkt me heel interessant om te lezen hoe een vrouw, ondanks terminale kanker, in haar eentje door de Andes is getrokken. Goh, ze heeft ook nog een beenprothese. Wonderbaarlijk. Ik begin er straks meteen aan.'

Daarna had Fay het een uur over kantoor. Volgens mij kan ze nergens anders over praten, want werken is het enige wat ze doet. Twee jaar geleden is haar relatie met haar vriendin, met wie ze al lang samen was, gestrand en ze zegt dat ze sindsdien niet meer met iemand uit is geweest. Ze is al partner, maar ze zit meer uur op kantoor dan ik. Daar is ze nu weer naartoe en daar zal ze waarschijnlijk tot na middernacht blijven. Wat een afschuwelijk, eenzaam en ongelukkig leven.

5

Vrijdag, 12.00 uur

Dit is de derde dag dat ik rust moet houden. Toen ik vanmorgen wakker werd, bedacht ik dat dit nog wel eens negentig dagen kon gaan duren. Ik barstte in tranen uit.

Tegen de tijd dat Tom naar zijn werk ging, had ik mezelf, tot zijn grote opluchting, weer onder controle. ('Ik kan niet naar kantoor gaan als ik jou zo moet achterlaten!') Ik heb zojuist een uur lang fanatiek mijn wenkbrauwen geëpileerd om ze in model te krijgen. Verder heb ik:

- Mijn buik gewaxt. Er groeien tegenwoordig veel donkere haren rond mijn navel en als ik de komende dertienenhalve week om de vijf minuten een onderzoek krijg, kan ik er maar beter op mijn voordeligst uitzien.
- Een dutje gedaan. Toen ik wakker werd, zag ik dat er speeksel op het rode chenille kussen zat. Hoe komt het dat zwangere vrouwen zo veel kwijlen? Is dat om hen voor te bereiden op het gezever van hun baby's?
- Naar een oude vrouw in het gebouw hiertegenover liggen kijken die, voor zover ik dat kon zien althans, alle vloeren dweilde.

❀ Doorgedraaid en mijn moeder gebeld.

Dat laatste was een vergissing. Mijn moeder bellen om informatie door te geven ('Alisons vlucht landt om tien over zeven. Ik stuur je een artikel op uit *The New Yorker*. Ik heb weinig vruchtwater en de baby wordt misschien te vroeg geboren.') is iets heel anders dan haar bellen voor troost of steun.

Het gesprek verliep ongeveer als volgt:

Ik: 'Hoi, mam, hoe gaat het? Ik word er gek van om dag in, dag uit op mijn linkerzij te moeten liggen! Dus toen dacht ik: ik ga iemand bellen die me kan opvrolijken.'

Zij: 'Tja, ik wil niet beweren dat het je eigen schuld is, maar… Heb je *ylang-ylang* al geprobeerd?'

Ik: 'Mijn eigen schuld? Hoe kan dit nou mijn eigen schuld zijn?'

Zij: 'Ik zal niet zeggen dat dit niet was gebeurd als je in Engeland was blijven wonen…'

Ik: 'Wat bedoel je? Wat maakt het uit waar ik woon? Dat staat er helemaal los van!'

Zij: 'Ik zei juist dat ik níét wilde suggereren dat het komt doordat je naar Amerika bent verhuisd.'

Ik: 'Volgens jou ligt het zeker aan de uren die ik maak? Krijgen we dat weer! Jij denkt dat ik in Londen minder hard zou hoeven te werken en dat al mijn problemen worden veroorzaakt door het gestoorde arbeidsethos van de Amerikanen. Je weet helemaal niets over de werktijden van een advocaat in Londen of over het Amerikaanse arbeidsethos, en toch denk je…'

Zij: 'Daar weet ik wel degelijk iets van, dame! De dochter van Jane Cooper werkt vijf dagen per week en is op tijd thuis om zelf haar kinderen van school te halen.'

Ik: 'De dochter van Jane Cooper is assistente bij een advocatenkantoor in Saffron Walden. Dat is iets heel anders.'

Zij: 'Je hoeft niet zo boos te worden, lieverd. Jij belt mij, hoor! Waarom moet ik je beledigingen aanhoren?'

Het gesprek eindigde ongeveer veertig minuten later nadat ik: (a) had toegegeven dat ik waarschijnlijk te hard werkte en (b) had toegezegd dat ik 's avonds wat druppeltjes ylang-ylang-olie op mijn kussen zou doen. Nadat ik had opgehangen, had ik een halfuur nodig om bij te komen. Wat is de reden dat ik – een redelijk succesvolle, behoorlijk zelfverzekerde advocate – deze woordenwisselingen met mijn moeder nooit win? Hoe komt het dat ik een rood hoofd krijg en wel kan janken als ze zegt dat ik iets fout heb gedaan? Waarom trek ik het me aan als ze vindt dat ik dingen verkeerd doe? Ik wil iemand zijn die luchtig en met een zekere toegeeflijkheid om de zwakheden van haar moeder kan lachen. Ik zou op de lijst van dingen die een moderne vrouw gedaan moet hebben voor haar dertigste graag het hokje aankruisen bij 'een zeer volwassen relatie met je moeder hebben', want dat is bij mij helaas niet het geval.

De verschillende ontharingsmethoden vormden in ieder geval een constructieve uitlaatklep voor mijn venijn. Brianna zal zo wel komen met wat overheerlijke lunchgerechten.

14.00 uur

Geen Brianna, maar dat geeft niet. Tom heeft een stapel broodjes voor me achtergelaten die hij belegd heeft met prijzige kaas van Zabar. Gistermiddag heeft hij op weg naar huis uit schuldgevoel mijn favoriete Engelse kaas, brokkelige White Cheshire, gekocht. 'Kijk eens, Q. Nu wil ik niet meer horen dat ik nooit iets lekkers voor je meebreng. Ik moet morgen trouwens overwerken.' En ik heb nog steeds die smerige havermoutkoekjes met rozijnen van Fay. Als ik de rozijnen – die vieze rimpelige dingen – eruit peuter, heb ik vanmiddag toch nog iets lekkers.

6

Maandag, 10.00 uur

Waarom komt er niemand? Er hebben al tientallen collega's gebeld om uit te leggen waarom ze niet kunnen komen. Sommige beloven een andere keer aan te wippen: 'Als de kinderen niet meer verkouden zijn. Als de rechtszaak achter de rug is. Als we terug zijn van de Maledieven.' Je zou denken dat ik kilometers verderop woon, in plaats van in het centrum van New York. Je kunt toch zo de metro pakken? Lara en Mark zijn zondag bij ons wezen lunchen, maar die eer had ik graag aan me voorbij laten gaan. Ik mag ze allebei niet. Mark heeft samen met Tom rechten gestudeerd. Hij is echt eng sinds hij assistent van de openbaar aanklager is geworden en de jacht op eenvoudige marihuanadealers heeft geopend. Lara is een gespierde gymlerares die strak in haar vel zit. Als je haar ziet, zou je denken dat hun twee kinderen via haar neus zijn geboren. Ze kijkt met nauwelijks verholen afkeer naar mijn slappe buik. Lara en Mark zijn bovendien de ergste gasten die je maar kunt treffen. Ze hadden dan wel afhaalmaaltijden meegebracht, maar ze hadden Tom na afloop toch minstens even kunnen helpen met opruimen? Het lijkt hier wel een zwijnenstal! En ze hadden niets lekkers voor me meegenomen, niet eens een plak cake of een koekje. Ze hadden, verdorie, alleen een fles chardonnay bij zich en om voor de hand liggende redenen mag ik geen alcohol.

De leukste visite tot nu toe was een grappig Grieks vrouwtje dat in een van de benedenappartementen woont. Ze belde zaterdagmiddag aan en vroeg of ze mocht rondkijken. Ze heeft onenigheid met de huisbaas over de aangeboden voorzieningen en wilde ons appartement vergelijken met dat van haar. Maar goed, een halfuur nadat ze de keukenapparatuur en de airconditioningunits had geïnspecteerd, stond ze weer op de stoep met een schaal zelfgemaakte moussaka en een wegwerpbordje met zoete griesmeellekkernijen. Ze was soms moeilijk te verstaan, want ze heeft een heel zwaar accent, maar ze was ontzettend aardig. Ze zei dat ze binnenkort zelfgemaakte baklava kwam brengen en dat is bijna net zo lekker als een chocolate chip cookie.

Het begin van een nieuwe week, het eind van de eerste week dat ik in bed moest blijven. Ik ben zevenentwintig weken zwanger. Als de baby vandaag geboren wordt, zou hij dertien weken te vroeg zijn. Ik heb net gegoogeld op 'zwangerschap + zevenentwintig weken + overlevingskans' en toen las ik op een website dat zijn overlevingskansen rond de vijfentachtig procent liggen! Ik ben een stuk vrolijker.

11.00 uur

Ik heb net als zoektermen 'oligohydramnion + overlevingskans' ingetikt en daarna 'weinig vruchtwater + prognose'. Slecht idee, Q. Héél slecht idee.

Ik heb de afgelopen twintig minuten in een papieren zak liggen blazen, maar ik kan nog steeds niet ophouden met huilen. Een normale baby van zevenentwintig weken heeft een overlevingskans van vijfentachtig procent, maar dat percentage ligt voor een zwangerschap met weinig vruchtwater drastisch lager. De vooruitzichten bij oligohydramnion in de vierde tot en met de zesde maand van de zwangerschap zijn slecht. De longen kunnen een fatale groeiachterstand hebben. Kinderen die in de baarmoeder gezond lijken, kunnen bij de geboorte overlijden aan iets wat pulmonale hypoplasie wordt genoemd.

Toen ik dat had ontdekt, moest ik meer weten. Algauw zat ik berichten te lezen die vrouwen uit het hele land naar een chatbox hadden gestuurd waarin stond dat werd aangeraden de zwangerschap af te breken nadat oligohydramnion was geconstateerd. Van sommige vrouwen was de baby bij de geboorte gestikt, omdat de longen niet functioneerden. Er waren ook vrouwen die een kind hadden gekregen met allerlei ontstellende fysieke en geestelijke afwijkingen.

Een paar minuten geleden heb ik in de badkamer overgeven. Sindsdien lig ik te trillen op de bank. Ik probeer mezelf te vermannen door dit op te schrijven. Waarom heeft de gynaecologe niets over pulmonale hypoplasie gezegd? Dacht ze dat ik dat niet aankon? Ik weet eigenlijk niet of ik dat wel kan verwerken. Hoe kom ik de komende vijf tot tien weken door als ik niet eens weet of de baby in leven zal blijven?

12.00 uur

In paniek heb ik naar de praktijk van dokter Weinberg gebeld. De vriendelijke receptioniste heeft mijn afspraak van morgenmiddag verzet naar vandaag om vier uur. Ik heb Tom gebeld om te zeggen dat hij vrij moet nemen om mee te gaan. Daar was hij niet blij mee. 'Verdorie, Q, ik zit tot over mijn oren in het werk.' Toen begon ik hysterisch te huilen en vertelde wat ik net allemaal had gelezen. Hij werd heel stil. Dat maakte me nog banger. Ik wilde dat hij zou zeggen dat ik me niet zo moest aanstellen, dat je niet alles moet geloven wat je op internet leest, maar dat deed hij niet. Hij was alleen maar heel stil. Ik hoorde hem langzaam en moeizaam ademhalen, wat hij altijd doet als hij zijn kalmte probeert te bewaren. 'Jezus,' zei hij uiteindelijk nauwelijks verstaanbaar.

Ik krijg geen hap door mijn keel, maar ik heb de afgelopen uren koortsachtig water gedronken. 'Zorg dat u voldoende vocht binnenkrijgt,' had de gynaecologe vorige week gezegd. Komt het water dat ik drink dan op de een of andere manier bij de baby terecht? Hoe dan? Hoe komt het van mijn maag in mijn baarmoeder?

15.30 uur

Tom kan elk moment hier zijn. Ik ben nu rustiger.

Het Griekse vrouwtje kwam langs met de beloofde schaal

baklava. Ik lag zielig te huilen toen ze aanbelde. Ik was niet van plan om open te doen, maar ze moet me hebben gehoord, want ze riep dringend of alles in orde was. Ik wilde haar wegsturen en ik weet nog steeds niet waarom ik dat niet heb gedaan, maar om de een of andere reden stond ik op en deed de deur open. Ze keek me aan, bracht me naar de bank en zei dat ik moest gaan liggen.

Ze zag meteen dat ik mijn lunch niet ophad. Daarom brak ze stukjes van mijn broodje af en stopte die een voor een in mijn mond. Ik merkte dat ik ontzettende honger had en at het broodje gehoorzaam op, als een klein kind. Daarna gaf ze me wat baklava en een glas melk. 'Moeilijke tijd,' zei ze na een tijdje heel ernstig. 'Probeer rustig te blijven. Pessimisme heeft geen zin. Zet negatieve gedachten uit je hoofd. Afgesproken? Goed zo, meid, goed zo.' Toen ze opstond om weg te gaan drukte ze, tot mijn verbazing, een moederlijke kus op mijn wang. 'Ik kom binnenkort terug met zoete, gezonde lekkernijen. Je moet goed eten om weer gezond te worden. Afgesproken?' Ze begon opeens onbedaarlijk te lachen. 'Tot gauw. Dat beloof ik.'

Vandaag zei ze terloops dat ze zelf geen kinderen heeft. Ik vraag me af waarom. Ze zou een geweldige moeder zijn.

19.00 uur

Ik ben terug van de afspraak bij de gynaecologe en heb me weer op de bank met de gele bloemetjesstof geïnstalleerd. Tom moest terug naar kantoor.

Ik wou dat ik me beter voelde, dat ik honderd procent gerustgesteld was na het bezoek aan dokter Weinberg. Ik wil me weer voelen zoals twee weken geleden, als een simpel gezond dier, een koe bijvoorbeeld, die zonder erbij na te denken nageslacht op de wereld zet. Nu lijkt alles ingewikkeld, een kwestie van tests en diagnoses, van centimeters meten (of waren het millimeters?), van grafieken, diagrammen en statistieken.

Maar het had erger kunnen zijn.

We waren een paar minuten te vroeg. De wachtkamer zat vol zwangere vrouwen die hun handen lichtjes op hun bolle buiken lieten rusten. Vorige week was ik ook nog zo'n madonna met een gelukzalige glimlach. Ditmaal sloop ik naar een hoekje en verborg mijn 'kleine' buik achter *The New York Times*. Ik had het gevoel dat ik erg tekortschoot.

Eerst werd er een echo gemaakt. Cherise zat in haar kleine verduisterde kamer op me te wachten met de transducer al in de aanslag. 'Ik ken u nog,' zei ze afstandelijk toen ik binnenkwam. 'We zullen u nog vaak zien,' voegde ze eraan toe, terwijl ze de tube opendraaide en de vieze lauwe gel op mijn buik smeerde. Ik rilde.

Het was een opluchting de baby weer op het scherm te zien. De vier hartkamers waren duidelijk zichtbaar, stuk voor stuk piepklein, goed te onderscheiden en volmaakt. En wat een vreemd, mysterieus genot om zijn skelet te zien bewegen. De fijne contouren van zijn scheenbenen en kuitbenen flitsten langs. Zijn uit laagjes bestaande wervelkolom golfde toen hij spartelde en om de navelstreng heen draaide, zoals een gymnast op de kermis rond een touw kronkelt. Even kwam er een gezicht in beeld en iets aan zijn wangen en de botstructuur rond zijn ogen deed me aan mijn vader denken. Wat grappig, dacht ik. Mijn vader is al jaren dood en al die tijd heeft een deel van hem in mij liggen wachten om opnieuw geboren te worden.

Cherise bleek vandaag voor haar doen in een mededeelza-

me bui te zijn, want ze vertelde me na de echo dat de hoeveelheid vruchtwater stabiel was en dat er weinig was veranderd.
Ik heb blijkbaar nog steeds niet genoeg van dat spul, maar ik
heb in ieder geval niet minder dan vorige week.

Toen gingen we naar de gynaecologe die me meteen een
standje gaf omdat ik op internet informatie had opgezocht
over mijn aandoening. Wat is dit voor waanzin? Ze stak een
vermanend vingertje op. Ik vond het eigenlijk wel prettig om
op mijn kop te krijgen. Alsof ze bedoelde dat ik niet alles
moest geloven wat ik las, iets wat ik vanmorgen van Tom had
willen horen. Vervolgens zei ze dat mijn oligohydramnion
niet ernstig was en dat pulmonale hypoplasie alleen ontstaat
bij vrouwen die nog minder vruchtwater hebben dan ik. Maar
het is dus niet helemaal uitgesloten. En als de baby die afwijking inderdaad heeft, kunnen we daar niets aan doen. Er zijn
geen tests die uitsluitsel kunnen geven over de longontwikke-
ling van de baby. We moeten afwachten.

Tijdens het gesprek keek ik ongelukkig naar de linoleum-
vloer en Tom staarde met niets ziende ogen uit de discreet ge-
blindeerde ramen. Dokter Weinberg moet hebben gemerkt
dat we overstuur waren, want ze ging vlugger praten en zei:
'Zo te zien heeft jullie baby geen groeiachterstand. Ik heb
niets gezien wat op een lichamelijke afwijking wijst. Baby's
die onvoldoende ruimte hebben, krijgen vaak horrelvoeten
en dat zie je meteen. Reden tot optimisme dus. Het kan zijn
dat we bij de geboorte toch iets vinden, iets wat we op de echo
niet konden zien, maar ik denk dat hij er goed doorheen zal
komen. We zullen de situatie van week tot week bekijken,'
voegde ze eraan toe. Daarna keek ze me strak aan. 'Niet meer
op internet surfen. Afgesproken? Je leest nooit berichten met
als strekking: "Ik was doodsbang, maar er bleek niets aan de
hand te zijn." Als u vragen hebt, stelt u die aan míj en niet aan
een zogenaamde deskundige op een vage website.'

'En u zorgt ervoor dat ze kalm blijft. Begrepen?' zei ze tegen Tom, met een wat verwijtende blik op haar hoekige gezicht. 'Het is uw taak haar te motiveren, ervoor te zorgen dat ze zich prettig voelt. Veel voetmassage en verwennerij. Begrepen?' Tom schonk haar even een pijnlijke glimlach en mompelde iets over werkdruk.

Volgens mij heeft hij haar raad ter harte genomen, want bij thuiskomst stormde hij meteen weer naar buiten. Een kwartier later kwam hij terug met een enorme milkshake waar extra vitaminen aan waren toegevoegd ('ladingen proteïnen, goed voor de ontwikkeling van de foetus'), een zak chips en een paar dvd's. Hij moest terug naar kantoor voor een afspraak met een cliënt, maar ik heb nu in ieder geval iets te doen, al mis ik hem wel. Ik wou dat hij hier was om samen met mij naar de films te kijken. Ik voel me erg eenzaam.

7

Dinsdag, 10.00 uur

Tom zit al drie uur op zijn werk, maar tot nu toe is het me gelukt niet op internet te surfen naar meer enge verhalen over mijn aandoening. In plaats daarvan heb ik:

❀ Drie stukken baklava gegeten.

Dat is het wel zo'n beetje. Verder heb ik uit het raam liggen staren naar weer zo'n grijze, koude, druilerige ochtend aan de Oostkust en ik heb een oudere man in het appartementencomplex hiertegenover op zijn tv zien slaan om hem aan de praat te krijgen. Vervolgens heb ik door mijn adresboekje gebladerd om te kijken of er iemand in stond met wie ik zou willen praten (nee) en heb ik twintig minuten geslapen. Het lijkt wel alsof ik al zes weken platlig. Hoe kan het dat het nog maar acht dagen zijn?

10.45 uur

Ik weet nog steeds niet wat ik moet doen, behalve in paniek raken. Ik moet mijn gedachten een andere kant op sturen. Ik ga mijn moeder bellen. Dat zal wel weer een vergissing blijken te zijn, maar ik doe het toch.

11.30 uur

Alles in aanmerking genomen was het niet zo erg. Ze was in een goede bui, omdat de omzet van de yogastudio het afgelopen kwartaal was gestegen.

Eerlijk gezegd is ze over het algemeen veel gelukkiger sinds ze met haar 'echte' werk als bankmanager is gestopt en een yogastudio is begonnen. Ik had haar best wat meer kunnen steunen toen ze me voor het eerst over haar plannen vertelde. Ik dacht eigenlijk dat ze het cliché van een alleenstaande oudere vrouw zou worden, inclusief zwevende kaftans, wierrook en een nogal wilde haardracht. Nu vind ik dat ze er best leuk uitziet in een kaftan. De wierrook bewaart ze voor speciale gelegenheden en ondanks haar rare kapsel loopt de yogastudio als een trein. In een paar jaar tijd heeft ze er een winstgevend bedrijf van gemaakt. Ere wie ere toekomt: ze heeft een gat in de markt ontdekt, namelijk vrouwen van boven de zestig met voldoende vrije tijd die hun ledematen niet willen laten kraken in het bijzijn van lenige twintigers. Ik ben nooit bij een les van haar geweest, maar Jeanie zegt dat ze hilarisch zijn. Tientallen blauwige kleurspoelingen met bootschoenen en een trainingsbroek die hard giechelen als het hen bij de rugoefeningen niet lukt om de kat te doen. De cursisten zijn blijkbaar dol op mijn moeder. Grappig dat ze heel tolerant en vergevingsgezind is als het om de tekortkomingen van anderen gaat, maar dat die van mij de vorm van gruwelijke misdrijven aannemen.

Ik vraag me vaak af hoe het zou zijn gelopen als mijn vader er niet op mijn dertiende vandoor was gegaan. Misschien had mijn moeder hem dan uiteindelijk zelf wel het huis uit gezet. Hij was mijn vader en ik hield van hem, maar hij was een van de grootste sukkels die er op aarde rondliepen. Het merendeel van mijn jeugd probeerde hij de kost te verdienen als liedjesschrijver, maar daar slaagde hij totaal niet in. Hij kon heel goed pianospelen en had een prachtige stem. Ik herinner me nog goed dat hij oorlogsliedjes voor mijn zusjes en voor mij zong als we in bad zaten ('If You Were the Only Girl in the World', 'Roses in Picardy' en 'We'll Meet Again'). Niet dat hij ooit in het leger heeft gezeten, hoor. Hij werd een paar jaar te laat geboren voor de Tweede Wereldoorlog en dat was waarschijnlijk maar goed ook, want, zoals mijn moeder altijd zei, hij kon zichzelf nog niet eens uit een papieren zak bevrijden. Hij heeft jarenlang een werkeloosheidsuitkering ontvangen. Verder had hij het ene flutbaantje na het andere. Hij werkte als tuinman, invalleerkracht en kinderentertainer. Al mijn vriendinnen waren jaloers op de verzameling hondjes die hij van ballonnen had gemaakt. Toen ik een jaar of twaalf was, kreeg hij een wanhopige, treurige verhouding met de buurvrouw, een vrouw die altijd krulspelden in haar haar had en op slippers liep. Ze was schoonmaakster bij mensen thuis, maar ze wilde dolgraag lerares klassiek gitaar worden. Ze verhuisden naar Brighton en ik heb hem daarna bijna nooit meer gezien. Hij overleed aan een hartaanval toen ik net op de universiteit zat.

Ik heb altijd gedacht dat mijn moeder minder energie zou hebben gehad om op haar drie dochters te foeteren als hij was gebleven. In de jaren nadat hij was vertrokken, werden we ons goed bewust van haar wilskracht. We moesten op háár lijken, niet op hem. Stabiliteit en zekerheid waren de kernwoorden. Ze wilde dat we een goede universitaire opleiding zouden volgen, het liefst in Oxford. Ze was bij haar in de familie de eerste geweest die naar de universiteit ging, maar in die tijd was de stad van aquatint nog onbereikbaar voor een arbeidersdochter en dus was ze in Southampton beland. Na de universiteit wilde ze dat we een 'fatsoenlijk beroep' zouden kiezen, zodat de smet van kleine landeigenaren voorgoed uit de familie zou verdwijnen. Ze had over mij eerst niets te klagen, want ik studeerde cum laude af, maar vervolgens nam ik een baan aan in de Verenigde Staten en daar was ze minder blij mee. Mijn moeder vindt Amerika een land van oplichters en kwakzalvers, van duistere types in slobkousen die gleufhoeden met lage randen dragen. Ik heb haar al een paar keer gevraagd om te komen logeren, maar ze slaat mijn uitnodigingen steeds af. Ik denk dat ze niet zou weten wat ze moest doen als ze erachter kwam dat mensen in New York niet bijeenkomen in clandestiene kroegen en hun vijanden niet in vaten met cement duwen.

Ze is een yogagoeroe voor oudere dames en een loyale voorstander van de 36-urige werkweek geworden. Het draait blijkbaar allemaal om de 'ritmes van het leven'. Mijn moeders theorieën over die ritmes zijn heel aantrekkelijk als je boven de zestig bent, maar ze staan ver af van de dagelijkse praktijk van de kost verdienen. Het gaat over zo veel slapen als je wilt, de stranden van Zuid-Frankrijk bezoeken en – dit hoor je met een zalvende blik te zeggen – energie in je familie steken. Het

resultaat is dat je je oudste dochter verwijt dat ze drieënhalfduizend kilometer bij je vandaan is gaan wonen. Dat betekent
natuurlijk ook dat je een zeer gepijnigd gezicht trekt als de
eerdergenoemde dochter klaagt dat de werkdruk te hoog is en
dat ze te weinig tijd heeft om met haar echtgenoot door te
brengen en als ze vertelt hoe lastig het is om haar werk en privéleven te combineren. Het is een geweldige theorie, want je
hoeft dus geen medelijden met je oudste dochter te hebben als
het over deze onderwerpen gaat. Je kunt gewoon tegen haar
zeggen dat haar leven ideologisch gezien een zwakke plek
heeft dus wat had ze dan verwacht? Ze moet tot inkeer komen
en terugkeren naar het land van gematigdheid en rationaliteit,
het land waar – zo benadrukt ze – het gezin nog op de eerste
plaats komt. Kijk maar naar Alison.

Alison is de ideale dochter geworden. Haar ster was rijzen-
de toen de mijne viel. Ze is een voorbeeldige aanhanger van
de theorie over de ritmes van het leven: ze slaapt prima, bezoekt ontspanningsoorden aan de kust en die bodemloze
potten zijn prima te combineren met haar taak als moeder.
Achteraf blijkt dat mijn moeder helemaal niet wilde dat we
gingen werken. Ze wilde dat we met een rijke vent zouden
trouwen die al het werk zou doen. Had ik dat jaren geleden
maar geweten, dat had me heel wat hoofdbrekens gescheeld.

Vandaag viel het aantal kattige opmerkingen wel mee en we
kletsten gemoedelijk over familieverwikkelingen. Ze vindt
Jeanies vriend niets, en ik ook niet, dus dat is een redelijk veilig onderwerp. Mijn vreselijke oom Richard (een oudere
broer van mijn moeder) heeft zijn appartement op Malta vorige week met verlies verkocht. Ook dat is een veilig onderwerp, omdat we allebei smullen van iets wat nadelig is voor
Richard. Ze vertelde ook dat ze van plan is haar bedrijf vol-
gend jaar uit te breiden. Ze wil een tweede yogalerares in
dienst nemen. Dat lijkt me een goed idee, al was het alleen

maar om die strandvakanties mogelijk te maken en heel misschien hierheen te komen om de baby te zien. Het is grappig dat het, ondanks haar felle betoog wat betreft familiebanden, niet in haar is opgekomen om mij een week of twee gezelschap te komen houden nu ik in bed moet blijven. 'Ik kan niet weg bij de yogastudio,' zegt ze. Dat is toch het schoolvoorbeeld van werk dat familieleven in de weg staat? (Of ik dat net aan de telefoon tegen haar heb gezegd? Nee, natuurlijk niet. 'We kunnen het op het moment redelijk met elkaar vinden,' fluisterde de stem van de goede dochter in mijn oor. 'Niet gaan dwarsliggen. Misschien kun je dat een andere keer vragen.' Maar ik weet nu al dat ik dat niet zal doen, want dat durf ik niet.)

13.30 uur

Ik heb het broodje met prosciutto, de chips en de banaan op die Tom me ongeveer een uur geleden heeft gebracht en ik wacht al twintig minuten hoopvol op Brianna, maar het ziet ernaar uit...

14.45 uur

Gelukkig verscheen Brianna toen ik op het punt stond harakiri te plegen van honger en verveling. Brianna heeft onvermoede kanten. Vandaag had ze een bord met noedels en sugar-snaps bij zich van een afhaalbuffet. Daarna kwam ze op de proppen met een krentenstol, een zakje marsepeinen bolletjes uit een van de Duitse winkels om de hoek en drie rollen verrukkelijke chocolate chip cookies (wit, melk en puur, in flinterdun zoet knapperig deeg met een heerlijke volle botersmaak).

Opnieuw moest ik in ruil voor deze culinaire vrijgevigheid vijfendertig minuten gebazel over 'de getrouwde man' aanhoren. Het wordt steeds erger. De getrouwde man (GM) en de getrouwde vrouw (GV) hebben twee kinderen en GV heeft GM net verteld dat de derde op komst is. Brianna denkt dat GV liegt. Vergeet de echtgenote, dacht ik bij mezelf, misschien is GM wel de grote oplichter. Hij heeft natuurlijk wel moeten uitleggen hoe het kan dat hij GV, die 'hij amper kan aanraken, zo walgelijk vindt hij haar', zwanger heeft gemaakt. Hij heeft tegen Brianna gezegd dat het een eenmalig incident was toen de vader van GV een paar maanden geleden een hartaanval had gekregen. Hadden we al eerder over de hartaanval van de vader van GV gehoord? Wisten we al dat GV toen ontroostbaar was en dat ze in de nasleep een onverzadigbare behoefte aan seks had gehad? Nee, dat wisten we niet, maar daar lijkt Brianna niet mee te zitten. Ze gelooft echt alles wat hij zegt. Je moet het hem nageven dat GM het voortreffelijk voor elkaar heeft. Hij heeft de enige vrouw in New York gevonden voor wie die zinnen nieuw zijn en hij verkondigt ze vol enthousiasme. Naarmate Brianna me beter leert kennen, voelt ze zich helaas minder geremd me de openhartige details te vertellen. Daardoor weet ik nu:

❁ Dat hij het leuk vindt als ze een rode fluwelen bustier met tepelringen, netkousen en zwarte jarretelles aantrekt. ('Mijn vrouw is ontzettend verlegen.')
❁ Dat zijn meest erotische fantasie is dat ze zich als

hoer verkleedt (een hoer met een rode fluwelen bustier dus) en dat hij dan langsrijdt en haar oppikt.

- ⚘ Dat ze overweegt hem zijn zin te geven, maar dat ze ernstige bedenkingen heeft. ('Q, misschien word ik wel gearresteerd!')
- ⚘ Dat zijn vrouw het hem kwalijk neemt dat hij een kwabbig lichaam en een bierbuik heeft, maar dat Brianna hem het gevoel geeft dat hij een echte man is. (Ha, ha!)

Dus luister ik ogenschijnlijk belangstellend als Brianna me dit allemaal vertelt, terwijl ik ondertussen de noedels opslurp. Wie houd ik nou voor de gek? Ik vind haar seksleven fascinerend. Mijn eigen rode fluwelen bustier ligt allang ergens achter in de lade met sokken. De laatste keer dat Tom en ik onze fantasie de vrije loop lieten, ging het over een huis met drie slaapkamers in een buitenwijk met een redelijk grote tuin en een Viking-fornuis.

Het is misschien dan ook niet verbazingwekkend dat ik het bijna jammer vond toen Brianna terugging naar kantoor. Ze is wat naïef, maar ze is veel interessanter dan de vier muren van onze kleine gele zitkamer.

8

Woensdag, 9.00 uur

Ik kan hier niet meer tegen. Ik geloof niet dat ik dit aankan. Vanmorgen werd ik om zes uur wakker van het geluid van de deur die werd dichtgetrokken toen Tom naar zijn werk ging. Ik raakte in paniek. De angst vloog me naar de keel alsof ik moest overgeven. Ik had het gevoel dat ik bijna stikte. Ik moet deze hele dag hier in mijn eentje door zien te komen en daarna weer een dag en dan weer een, totdat de komende drie maanden om zijn. Dat zijn dertien weken, eenennegentig dagen, 2184 uur, 131.040 minuten.

Ik sla een heel seizoen over. Het is nu februari. De lente zal dit jaar volledig aan me voorbijgaan. Niet dat die hier aan de Oostkust veel voorstelt. De lente haalt het niet bij die in Engeland. Er bloeien nu narcissen in Oxford en paarse en gele krokussen staan in bosjes onder de bomen in de tuinen van Trinity College. Toch mis ik dat gevoel van ontwaken, de eerste warme dag, het eerste stukje groen onder het met sneeuw bedekte gras in het park.

Ik ben eenzaam. Ik verveel me. Ik ben bang. Ik heb honger.

10.00 *uur*

Ik ga leren breien. Ik heb net naar wol gezocht op internet en heb een handwerkwinkel in Manhattan gevonden die een eigen website heeft. Ik heb vijf bollen lichtblauwe wol uit de serie 'kasjmier baby', twee paar bamboe breinaalden en een breiboek voor beginners besteld. O ja, en ook nog een nostalgische breitas met een bijpassende naaldenkoker met roze en taupekleurige strepen. Typisch jaren vijftig van de vorige eeuw.

10.30 *uur*

Wie neem ik nou in de maling? Ik ga mezelf niet leren breien. Ik kan niet eens naaien. Dat heb ik op school geweigerd te leren. Op mijn zesde besloot ik dat het een uitstervende kunstvorm was en daarna vermaakte ik me tijdens de les met in mijn wijsvinger prikken zonder dat die ging bloeden. Ik zou misschien nog acupuncturiste kunnen worden, maar de kans lijkt me klein dat ik zelf een paar sokjes voor de baby brei. En wil ik wel van die zelfgebreide gevallen? Witte katoenen sokjes van Gap zijn toch veel praktischer?

Tjonge, wat zal ik eens gaan doen?

11.15 uur

Ik ga me verdiepen in zwart-witfilms. Ik ga een lijst maken van de belangrijkste films aller tijden die ik altijd al heb willen zien en dan doorloop ik de verschillende genres: stomme film, actiefilm, film noir, buitenlandse film, documentaire. Ik zal aantekeningen maken over de plot, de acteurs en actrices, de regisseurs en de gewonnen Oscars. Tegen de tijd dat de baby komt, weet ik de belangrijkste feiten over die films. Dan ben ik zo iemand die zich naar een obscuur filmhuis haast om pas ontdekte filmbeelden uit een vooroorlogse Russische documentaire te bekijken. Tijdens etentjes zal ik terloops opmerken wie mijn favoriete Japanse regisseur is. Ik zal als een kenner over cinematografie praten. Dan kan ik het hokje bij 'een indrukwekkende onderhoudende gesprekspartner zijn' afvinken op de lijst van dingen die een moderne vrouw bereikt moet hebben voor haar dertigste.

11.30 uur

Maar ik zal nooit meer naar etentjes gaan, of wel soms? En ik zal ook geen tijd hebben voor obscure kunstzinnige films. Wie moet er dan voor de baby zorgen? Ik kan hem moeilijk meenemen. Intellectuele filmbezoekers zullen een krijsend kind niet kunnen waarderen. Het heeft geen zin me in de grootste films aller tijden te verdiepen. De komende tien jaar zal ik alleen nog maar naar Disney-films over prinsessen en dansende schildpadden kijken.

Ik heb nu geen leven en dat zal ik ook nooit meer hebben. Het is beter de feiten onder ogen te zien. Mijn jeugd is voorbij. Dit is slechts een voorproefje van wat er gaat komen. Ik ben mezelf niet meer. Ik ben geen advocate, ik ben niet Toms minnares, ik ben een lichaam, een hulpstuk, een broedmachine. Ik ben 'een middel, een fase, een koe in kalf' zoals Sylvia Plath het uitdrukt. Mijn hele wezen is erop gericht een ander mens in leven te houden. Mijn eigen leven is over. Dat ik bedrust moet houden betekent alleen dat het iets eerder is afgelopen dan ik had verwacht.

11.45 uur

Vergeet alles wat ik daarnet heb geschreven. ✂ ✂ ✂. Niet te geloven dat ik me beklaagde over de beperkingen die de baby me oplegt. Ik weet niet eens of hij wel in leven zal blijven. Wat ben ik voor een moeder? Als ik een echte vrouw was, zou ik het niet erg vinden die laatste paar maanden vrijheid in te leveren. Wat heb ik toch?

9

Donderdag

De hele dag geslapen en tv-gekeken.

10

Vrijdag

Geslapen, tv-gekeken en weer geslapen.

II

Zaterdag

Tom is naar kantoor. Tv-gekeken. Gehuild. Koekjes gegeten.

12

Zondag

Tom is alweer naar zijn werk. Hysterisch gehuild. Koekjes gegeten.

13

Maandag, 12.00 uur

Er zijn vanmorgen een paar heel belangrijke dingen gebeurd:

- Een bezoek aan Cherise onthulde dat ik iets meer vruchtwater heb.
- De nieuwsbrief van ons appartementengebouw werd onder de deur door geschoven en zo ontdekte ik dat het grappige Griekse vrouwtje – het is haast niet te geloven! – de aanvoerster is van een groep mensen uit de buurt die zich verzet tegen de sloop van het appartementengebouw aan de overkant.

Ik heb nog steeds te weinig vruchtwater. Dokter Weinberg heeft me een grafiek laten zien. Ik zit niet meer helemaal onderaan. Er is een sprankje hoop dat het naderende onheil wordt afgewend. Helpt volledig rust houden dan toch? Dat lijkt me stug. Het is moeilijk te bevatten dat de hele dag op de bank liggen van invloed is op die onregelmatig gevormde zwarte zakken bij de schouders, heupen en tenen van de baby, maar wie weet. 'Het belangrijkste is dat het niet erger wordt,' zei de gynaecologe tegen me, met een strakke glimlach om haar donker gestifte lippen.

Dat Griekse vrouwtje blijkt min of meer een kopstuk uit de lokale politiek te zijn. Ons gebouw en dat aan de overkant, waarvan ik de bewoners in de gaten houd als er niets leuks op tv is, blijken van dezelfde eigenaar te zijn. In beide gebouwen werden tussen 1950 en 1970 Griekse en Cypriotische immigranten ondergebracht. (Ik heb me altijd al afgevraagd hoe het komt dat je hier in de buurt zulke heerlijke gevulde druivenbladeren kunt krijgen.) Vijftig jaar later: het gebouw aan de overkant is aangetast door giftige schimmels, een soort dat diep tot in de gipsplaten doordringt, voortwoekert en uiteindelijk overal zit. De eigenaar wil het complex laten slopen en er een ander gebouw voor in de plaats zetten dat moderner is en beter bij yuppen in de smaak valt, maar de inmiddels bejaarde bewoners willen hun huis niet uit en verzetten zich uit alle macht tegen de bouwplannen. Volgens mij kun je niet voorzichtig genoeg zijn als het om giftige schimmels gaat. Vorige maand las ik in *The New York Times* een artikel over een kind uit Queens dat bijna was gestikt vanwege ademhalingsproblemen die het gevolg waren van dat spul. Er zijn de afgelopen jaren enkele grote rechtzaken tegen vastgoedbedrijven gevoerd in verband met bouwconstructies die schimmel in de hand zouden werken. Ik vind dat de bewoners het zinkende schip zo gauw mogelijk moeten verlaten. Giftige schimmels zijn eng.

Vandaag voel ik me weer in staat belangstelling te tonen voor de wereld. De voornaamste reden daarvoor is dat:

✿ Jeanie heeft gebeld dat ze een vlucht heeft geboekt en donderdagavond hier is!

Ik weet niet wie er blijer is: Tom of ik. Hij vindt me op het moment behoorlijk lastig. Ik heb hem zondagmiddag eerder naar huis laten komen. Hij belde om een uur of twee om te vragen of het al beter met me ging (hij had me om zeven uur als een jankend, kwijlend hoopje achtergelaten) en ik zei: 'Nee, het gaat slechter. Dit houd ik niet lang meer vol. Ik word gek van verveling en angst.' Na een korte geladen stilte beloofde hij naar huis te komen. Een uur later stapte hij naar binnen met een stapel films en een fles merlot. 'Voorschrift van dokter Tom, Q. Niet zeuren. Eén glas en je voelt je een stuk beter.' Maar hij weet, en dat weet ik zelf ook, dat hij niet elke middag van kantoor weg kan als ik me neerslachtig voel. Hij herinnerde me er vandaag weer eens aan dat de partners bij Crimpson duidelijk hebben aangegeven dat hij zich voorbeeldig moet gedragen als hij komende zomer partner wil worden. Hij is een geweldige advocaat en veel collega's steunen hem, maar Crimpson is een van de drie belangrijkste advocatenkantoren in de stad en de laatste jaren heeft slechts een handjevol ervaren collega's promotie gemaakt. Bovendien heeft hij het afgelopen jaar wat steken laten vallen. Laten we zeggen dat de woorden 'Donald' en 'Trump' zelden worden uitgesproken in dit huis. Als hij partner wil worden, moet hij de huidige partners ervan overtuigen dat hij vakbekwaam is en zich voor de volle honderd procent inzet.

En wat betekent dat voor mij? Dat ik eenzaam ben en me verveel. Ik heb ook honger. Ontzettende trek. Maar goed, volgende week kan Jeanie voor me zorgen. Ik kan haar allerlei hapjes en tijdschriften laten halen of chocolate chip cookies. Dat is volgens mij het beste wat er ooit in Amerika is uitgevonden met op eerbiedige afstand op de tweede plaats gloeilampen. We kunnen spelletjes doen. Misschien weet ze zelfs wel hoe je iets leuks kunt breien van die vijf bollen kasjmier, want die liggen nog in de ongeopende bruine enveloppen met luchtkussentjes onder een stapel rekeningen en ongelezen tijdschriften. Dacht ik nou echt dat ik *The Economist* zou gaan lezen? Anders ga ik maar een sjaal voor mezelf breien. Zo moeilijk kan dat niet zijn. Dan is het net zoals toen we klein waren en totempalen probeerden te maken van stokken die we in de tuin hadden gevonden. Ik geloof niet dat we er ooit in zijn geslaagd iets te maken wat ook echt op een totempaal leek, maar we hadden wel veel lol. Alison deed altijd erg denigrerend over onze inspanningen en ze dreigde aan mama te vertellen dat we messen uit de keukenlade hadden gepakt, maar Jeanie en ik lieten ons niet uit het veld slaan. Tot Jeanie een jaar of acht was, kon je veel plezier met haar hebben. Ze was veel leuker dan Alison. Het is fantastisch dat ze een hele week komt.

Haar vreselijke vriend komt niet mee, wat Jeanie jammer vindt. Ze zal wel hebben gehoopt dat ze voor mij zorgen kon combineren met een romantisch, toeristisch uitstapje naar The Big Apple. (Wat shows op Broadway bezoeken, in een duur trendy restaurant eten, met geld smijten in Niketown. Kortom, alles wat mijn Engelse vrienden hier willen doen als ze komen.) De gedachte dat haar vreselijke vriend in mijn huis zou logeren – in de toekomstige babykamer nog wel – vervulde me met angst en walging, hoewel ik daar amper woorden aan vuil heb gemaakt. Het zou kunnen dat ik heb gezegd dat ik zijn vieze stinkvoeten niet in mijn huis wil, want die lucht is echt niet te harden. Het maakt ook niet uit, want hij kan toch geen vrij krijgen nu hij eindelijk een baan heeft… Bovendien kan hij het ticket niet betalen en hoewel ik met alle plezier wil meebetalen aan Jeanies reiskosten, ga ik dat voor die lapzwans zeker niet doen. Haar vreselijke vriend blijft dus alleen achter in Londen en ik heb zeven dagen de tijd om mijn verdwaasde zusje aan haar verstand te brengen dat hij niet bij haar past. Ideaal!

Jeanie is een leuke meid. Ik heb nooit begrepen waarom iemand die zo aantrekkelijk is – ze heeft grote bruine ogen, een jongensachtig slank postuur en lang, steil, blond haar (veel mooier dan mijn rode piekhaar) – zich aangetrokken voelt tot zulke losers. Mike Novak was een sukkel, maar die had nog goede vooruitzichten in de medische sector en Alisons vriendjes waren steevast irritant, maar meestal ook getalenteerd, hadden een titel of waren knap. Maar Jeanie heeft een zeldzaam talent om verliefd te worden op mannen die er niet uitzien – hoe meer puisten hoe beter – en toch een enorm ego hebben. Dat is volgens mij een typisch mannenverschijnsel. Een vrouw met gewichtsproblemen, vet haar en puistjes zit binnen, draagt een bril met donkere glazen en een hoed met een brede rand. In elke sociëteit in Engeland tref je op zaterdagavond wel een man aan met dezelfde onaantrekkelijke kenmerken, die ook nog eens een slechte adem heeft en stinkt. Zo iemand papt aan met ieder meisje dat toevallig dichter dan drie meter bij hem vandaan staat. Daarna zegt hij zelfverzekerd tegen zijn vrienden dat hij beet heeft.

De meeste meisjes reageren dan door de inhoud van hun glas wodkajus over eerdergenoemde slijmbal uit te storten, maar Jeanie is zo'n rare: die kwam tot de conclusie dat hij alleen maar aardig probeerde te zijn. Dave, haar huidige charmante minnaar, dook op tijdens een van haar lessen aan de avondschool (ze volgt een doctoraalprogramma voor maatschappelijk werk) en ze vond hem blijkbaar meteen al ontzettend aardig. Wat het meest in zijn voordeel sprak, was dat hij de eerste maand als een hondje achter haar aan liep. (Hij heeft ook de persoonlijke hygiëne van een hond, moet ik eraan toevoegen.) 'In de bibliotheek, in de pub, bij de bushalte. Je kon het zo gek niet bedenken of Dave was er en stond met een hoopvolle blik op me te wachten,' vertelde Jeanie. Ik zou een advocaat hebben gebeld om te regelen dat die misselijkmakende etterbak een straatverbod kreeg, maar Jeanie vond het allemaal heel aandoenlijk en beloonde hem aan het eind van de maand door met hem naar bed te gaan. Ze viel niet op hem, dat gaf ze toe, maar ze vond dat uit zijn hondse genegenheid bleek dat hij echt om haar gaf. Ze liet zich niet afschrikken door het feit dat hij toen al van de cursus maatschappelijk werk was gestuurd omdat hij het lesgeld niet had voldaan, dat hij moest voorkomen omdat hij de gemeentebelasting niet had betaald en dat hij was ontslagen bij een café omdat hij steeds te laat kwam. 'Hij maakt een moeilijke periode door,' zei Jeanie optimistisch. 'Hij heeft iemand nodig die in hem gelooft.'

Mijn moeder denkt dat Jeanie op waardeloze mannen valt vanwege haar ervaringen met mijn vader, maar volgens mij ligt het ingewikkelder. Mijn vader poetste zijn tanden en waste zijn haar en hij straalde niet Dave's schandelijke kruiperigheid uit. Tom denkt dat Jeanie het gevoel had dat mijn vader haar in de steek had gelaten, dat ze werd genegeerd door mijn moeder (omdat Alison en ik alle aandacht kregen) en dat wij (de twee oudere meisjes) haar links lieten liggen toen we opgroeiden. Daarom zoekt ze nu iemand voor wie ze het middelpunt van het universum is. Volgens mij is dat onzin. Het is waar dat ik het als kind leuk vond als mijn twee zusjes wedijverden om mijn aandacht. Dat was inderdaad een beetje gemeen, maar ik ben vast niet het enige oudste kind ter wereld dat zoiets deed. En Jeanie weet dat ik van haar hou. Als ik niet vlak nadat Alison in het huwelijksbootje was gestapt met de hooggeboren Gregory Fuckwit (zo noem ik hem graag) naar New York was vertrokken, hadden we vast een hechte band gekregen.

22.00 uur

Tom heeft zojuist gebeld dat hij over een uur thuis is. Ik hoorde de onrust in zijn ademhaling zodra ik de telefoon opnam. 'Q, ik kan nog niet weg. Wees alsjeblieft niet boos op me.' In plaats van woedend tegen hem uit te varen of hortend te fluisteren dat ik hem nu nodig heb, zei ik dat hij zich niet hoefde te haasten! Misschien ben ik over het dieptepunt heen en wen ik al aan dit merkwaardige nieuwe leven. De zwangerschap lijkt beter te gaan, Jeanie komt over vier dagen en Brianna stond om vier uur op de stoep en heeft drie dozen roomboterkoekjes voor me achtergelaten die ze had gekocht bij een delicatessenwinkel in de East Village.

14

Dinsdag, 14.00 uur

Net toen ik op het punt stond mijn lunch te verslinden – een broodje met gerookte ham en Cheshire was letterlijk al onderweg naar mijn mond – werd er aangebeld. Het was mevrouw Gianopoulou (ook bekend als het grappige Griekse vrouwtje dat voorzitster is van het bewonerscomité tegen sloop) met een gigantische schaal met eten: romige hummus, glanzende paarse olijven, pikant gevulde druivenbladeren en een vers, warm pitabroodje. Allemaal verrukkelijk en zelfgemaakt. Het was gewoon ontroerend. Gek is dat: de twee trouwste bezoekers sinds ik bedrust moet houden zijn een vrouw van kantoor die ik oppervlakkig kende en een vrouw uit mijn appartementencomplex die ik nog nooit had ontmoet.

Ik vroeg aan mevrouw G. of ze me gezelschap wilde houden en ook wat wilde eten. Na een korte aarzeling stemde ze in. Ik weet niet hoe oud ze is – in ieder geval boven de zestig – maar ze ziet er stijlvol uit voor een oudere vrouw. Ze draagt haar zilvergrijze haar in een knotje, zodat de geprononceerde jukbeenderen onder haar olijfkleurige huid extra opvallen, en ze heeft gouden spikkeltjes in haar groene ogen. Ze besteedt niet veel aandacht aan haar kleding, maar zoals alle zuiderlingen houdt ze van kleur. Meestal heeft ze een kreukvrije felroze of oranje broek aan, iets wat mijn moeder een sportpantalon zou noemen, en daarop draagt ze een gestreepte katoenen blouse of een vrolijke zelfgebreide trui. Ze is niet mager, maar ook niet dik, eerder zacht en mollig, en ze heeft een prachtige glimlach. Haar aanwezigheid in ons appartement, binnen deze vier overbekende muren, voelt als een warm briesje. Ze heeft me geholpen de kamer een beetje op te ruimen. Het is ongelofelijk hoeveel rotzooi je maakt als je niet uit bed kunt om de troep in de vuilnisbak te gooien. Eerlijk gezegd is ze in haar eentje haastig door de kamer gegaan waarbij ze wikkels van chocoladerepen en kartonnen bakjes van afhaalmaaltijden opraapte en in een afvalzak gooide, terwijl ik op de bank lag en dankbaar tegen haar aan kletste.

Tijdens de lunch hadden we het over haar voorzitterschap van het bewonerscomité tegen sloop. Ze denkt dat het schimmelprobleem met wat scheuten bleekmiddel en goed schrobben op te lossen valt. Ze trok haar rechterwenkbrauw sceptisch omhoog toen ik met mijn theorie kwam aanzetten dat giftige schimmels bijna evenveel verderf zaaien als de pest vroeger. Ik vroeg haar waarom zij de leiding had over de actiegroep terwijl ze zelf niet eens in het afgekeurde gebouw woont, waarop ze me vol verwijt aankeek. Toen vroeg ze wat ik zou doen als mijn vrienden hun huis dreigden te verliezen. Maar volgens mij zit er meer achter dan pure filantropie. Ze lijkt zich deels verantwoordelijk te voelen voor het besluit van de huisbaas om het gebouw te slopen, omdat ze haar vrienden in dat complex heeft opgestookt om te klagen over de kwaliteit van de aangeboden voorzieningen. Ze heeft, wat ook voor veel bewoners in het afgekeurde complex geldt, een appartement waarvoor ze een vast bedrag aan huur betaalt en het is alom bekend dat huisbazen niet graag geld uitgeven ten behoeve van huurders die gewilde woningen in de Upper East Side tegen een fractie van de marktwaarde huren. Ze heeft het afgelopen jaar blijkbaar al verschillende keren geklaagd over de kwaliteit van de voorzieningen en ze heeft tientallen vrienden in het andere gebouw geholpen om vergelijkbare klachten in te dienen. Ze denkt dat de huisbaas wakker is geschud doordat hij plotseling meer klachtenbrieven kreeg en dat hij als reactie daarop met het verhaal over die giftige schimmels is gekomen.

Ze vermoedt dat ons gebouw daarna aan de beurt is. Volgens haar schept het slopen van het eerste complex een precedent en ze maakt zich er duidelijk zorgen over dat ze haar huis misschien kwijtraakt. Ik heb haar verteld dat als er in onze appartementen geen giftige schimmels blijken te zitten, de projectontwikkelaar haar, als huurder met een vaste huur, niets kan maken. Hij kan haar er niet uitzetten. Voor Tom en mij ligt dat anders. Als de huisbaas ons appartement wil renoveren moeten we eruit als het huurcontract afloopt, maar dat is pas over een jaar en misschien hebben we dan al een huis met drie slaapkamers en koken we op een glanzend zilverkleurig Viking-fornuis. Wie zal het zeggen?

Ik heb altijd een beetje te doen met huisbazen die in zo'n positie verkeren. Ze proberen immers gewoon hun brood te verdienen, net zoals ieder ander. Maar als ik mevrouw G. mag geloven, worden de huurders met een vaste huur al jaren afgezet. De huisbaas heeft hun onlangs een schandelijke, aanmatigende brief gestuurd waarin staat dat ze binnen een paar weken moeten vertrekken en hij heeft een alarmerend lage schadevergoeding aangeboden. Als er werkelijk een ernstig schimmelprobleem is, zullen de bewoners weg moeten, maar ze hebben wel degelijk rechten. Mevrouw G. en haar vrienden weten niet hoe ze moeten reageren, maar een achterneef van mevrouw G., een zekere Alexis, heeft hun uitgelegd wat er precies in die brieven staat. Hij moest echter toegeven dat hij de laatste brief over de stand van zaken en de wettelijke verplichtingen ook niet snapt.

Daarom heb ik aangeboden – waar ben ik aan begonnen? – om die laatste brief te lezen en mevrouw G. en Alexis te vertellen wat erin staat. Ik heb haar duidelijk proberen te maken dat ik níét als hun advocaat zal optreden, maar ik weet niet of ze dat heeft begrepen. Ik heb haar verteld dat het bewonerscomité officieel een advocaat moet inschakelen om hun belangen te vertegenwoordigen, maar ze keek volkomen uitdrukkingsloos en zei terwijl ze me met grote ogen aankeek: 'Jij bent toch advocate?' Ze zal Alexis vragen of hij van de week een keer 's avonds uit school – hij is leraargeschiedenis – langskomt met de brief. Ik moet hem aan zijn verstand zien te brengen dat mijn advies strikt onofficieel is. Ik kan hier niet bij betrokken raken. Zelfs als de bewoners me zouden kunnen betalen, kan ik mijn werk als advocate niet goed doen als ik vierentwintig uur per dag op mijn linkerzij moet liggen. Bovendien zou de gynaecologe woedend worden als ze erachter kwam.

Probeert die oude vrouw me voor haar karretje te spannen? Wie weet. Misschien krijg ik er ontzettende spijt van dat ik mijn hulp heb aangeboden, maar wat moet ik anders? Mevrouw G. is de afgelopen week als een moeder voor me geweest, hoewel ze totaal niet op mijn echte moeder lijkt. Ze is meer de moeder over wie ik altijd heb gedroomd. Ze maakt lekkere hapjes voor me klaar, luistert meelevend als ik overstuur ben en laat me verder met rust. Dat vind ik zo'n beetje ideaal oudergedrag. Het minste wat ik kan doen is uitleggen wat er in de brief staat.

Vandaag heeft ze voor het eerst iets over haar eigen leven verteld. Vijfendertig jaar geleden was ze verloofd met een man die een week voordat hij naar huis zou komen om met haar te trouwen in Vietnam werd opgeblazen. Dat was voor haar einde verhaal. 'Voor mijn gevoel zijn we getrouwd. Snap je dat?' vroeg ze met glanzende ogen. 'Ik ben nog steeds gehuwd. Er kan geen ander zijn. Hij was alles voor me. Mijn zus in Philadelphia is erg boos op me. Ze vindt dat ik mijn leven heb vergooid, maar ik ben gelukkig, voor zover dat mogelijk is zonder hem. Alexis let op me. Ik ga bij vrienden op bezoek, maak uitstapjes en heb een goed leven. Ik weet niet waarom mensen willen dat ik hetzelfde reageer als ieder ander en waarom ze vinden dat ik verder moet gaan alsof er niets is gebeurd. Als je de ware vindt, is dat voor altijd. Snap je wat ik bedoel?'

Ik knikte langzaam. Wat zou er gebeuren als Tom… Nee, daar moet ik niet aan denken. Mijn moeder lijkt toch wel een beetje op mevrouw G. Nadat mijn vader haar had verlaten, is ze zelden meer met een man uitgegaan, maar dat was vast niet omdat ze het gevoel had dat ze voor altijd met hem verbonden was. Volgens mij vindt ze het leven gewoon te kort om nog meer tijd aan slampampers te verspillen.

19.00 uur

Een ramp! Brianna's getrouwde minnaar heeft haar gisteravond gedumpt!

Ze gingen naar een bar. Ze had gedacht dat ze daarna net als anders in bed zouden belanden, maar toen ze halverwege een groot glas droge martini was, gaf hij haar op kille wijze de bons. 'En wat doe je dan?' vroeg ze. 'Het pijnlijke moment rekken, terwijl je elegant van je martini nipt? Of de rest in één keer achteroverslaan, waardoor je het risico loopt dat je lippen opzwellen en verdoofd raken, en je wangencellen samenknijpen?' Uiteindelijk koos ze voor een ouderwets alternatief – ik heb toch al gezegd dat ze qua instelling uit de jaren vijftig van de vorige eeuw lijkt te komen? – en ze smeet de inhoud van haar glas in zijn gezicht. Omdat ze zich afvroeg wat hij met zijn glas moest doen – op haar manier is ze best attent – pakte ze het glas van haar minnaar, compleet met prikkertje en olijf, en goot dat in zijn nek, waarna ze vastberaden de bar uit beende.

Ze belde een paar uur geleden met de vraag of ze mocht langskomen. Ik moet bekennen dat deze onverwachte scheiding me intrigeerde. Waarom liet GM zijn zeer lichtgelovige en gewillige maîtresse in de steek? Doordat er een baby op komst is of doordat Brianna het een vervelend idee vindt om in een rode fluwelen bustier met jarretelles over de straten van Manhattan te paraderen?

GM heeft het, handig en zelfverzekerd als hij is, voor elkaar gekregen Brianna het idee te geven dat zij verantwoordelijk is voor deze noodlottige afloop. Ik vermoed dat de echtgenote argwaan heeft gekregen, want blijkbaar heeft Brianna zich niet aan de belangrijkste afspraak gehouden en heeft ze hem een paar dagen geleden op zijn mobiel gebeld, zodat de tien laatste telefoontjes afkomstig waren van een onbekend nummer. GM had al vaak laten weten dat de kans groot was dat zijn vrouw zijn telefoon zou controleren. Bovendien heeft Brianna de fout gemaakt erop te staan dat GM volgende maand een weekendje met haar weg zou gaan. Verder heeft ze gezegd dat hij zijn vrouw beter nu kan verlaten dan over vijf maanden, als ze op het punt staat een huilende negenponder op de wereld te zetten. Met andere woorden, ze stelde ietwat meer eisen en werd een tikkeltje minder onderdanig, en toen koos GM uit angst het hazenpad.

Brianna wordt nu verteerd door schuldgevoelens. 'Ik heb hem te veel onder druk gezet. Het spreekt voor zich dat hij geschrokken is van de zwangerschap. Natuurlijk kan hij zijn vrouw niet in de steek laten zolang ze 's ochtends misselijk is. Ik had die bustier gewoon moeten aantrekken.' Ik aaide haar over de schouder, zei aldoor 'rustig maar' en keek toe, terwijl iemand anders de doos roze tissues leegmaakte die standaard op de teakhouten bijzettafel staat. Het was voor de verandering prettig om niet zelf de huilebalk te zijn. Ik zei tegen haar dat ze beter verdiende, dat ze een mooie en intelligente (?) vrouw is en dat ze met mannen moet uitgaan die haar goede eigenschappen wel weten te waarderen. Ze snikte hortend, vermande zich, glimlachte met betraande ogen naar me en zei dat ik waarschijnlijk gelijk had. Ze bedankte me omdat ik naar haar had geluisterd en haar had getroost toen ze het moeilijk had, en zei dat ik erg verstandig was. Ik voelde me echt moederlijk. 'Goede raad geven aan vrienden in nood' staat ook op de lijst van dingen die een moderne vrouw gedaan moet hebben voor haar dertigste.

Tom belde een paar minuten geleden om te zeggen dat hij op weg naar huis is voor het avondeten. Daarom besloot Brianna naar huis te gaan, een bad te nemen en een bak roomijs met stukjes chocoladefudge leeg te eten (mijn idee). Ik denk dat ik haar heb weten te kalmeren. Volgens mij begint het al tot haar door te dringen dat ze beter af is zonder die rotzak.

22.30 uur

Tom vertelde dat hij Mark onderweg naar huis in de metro was tegengekomen. Lara is weer in verwachting! Het lijkt wel of iedereen tegenwoordig zwanger is.

15

Woensdag, 9.00 uur

Jeanie komt morgen. Ik wou dat ze er al was. Over drieëndertig uur landt haar vliegtuig.

10.00 uur

Ik heb Brianna zojuist aan de telefoon gehad. De bak ijs van gisteravond en mijn weloverwogen advies hebben blijkbaar
slechts tijdelijk geholpen. Ze was in tranen wakker geworden,
vertelde ze me, en had op weg naar haar werk aldoor zitten
snikken en nu wilde ze van mij horen dat ze naar huis kon gaan
en de rest van de dag in bed mocht doorbrengen om zich over te
geven aan haar ellende. 'Nee,' zei ik. 'Geen sprake van.' Zwel-
gen in je verdriet is niet toegestaan. Je mag chocolade eten,
maar waag het niet om onder je dekbed zielig te gaan liggen
doen. 'Blijf aan je bureau zitten,' vermaande ik haar streng. 'Je
mag tussen de middag wel hierheen komen. Dan eten we samen een pak koekjes op.'

14.00 uur

Ik heb haar net teruggestuurd naar kantoor. Ze wilde de rest van de dag hier blijven ('Dan kunnen we elkaar gezelschap houden') maar daar heb ik een stokje voor gestoken. Ik vind haar aardig en ik heb met haar te doen, maar ik heb genoeg aan mezelf. Bovendien moet ze zich eroverheen zetten. Het zou een ander verhaal zijn als haar getrouwde minnaar ten minste nog één goede eigenschap had, maar die heeft hij niet. Hij bedriegt zijn vrouw en kinderen, en hij is een meedogenloze advocaat, dat geeft Brianna zelf toe. Hij schijnt het sociale geweten van een blindmuis te hebben. Bovendien is hij een meester in het manipuleren van vrouwen die niet stevig in hun schoenen staan. Wat zijn eigenlijk zijn pluspunten?

16.00 uur

Ik heb Brianna weer een uur aan de lijn gehad. Ik ben doodop.

18.00 uur

Enkele minuten geleden is er een paar keer aangebeld. Het was Brianna. Ik hoorde haar door de deur heen zwaar ademen. Het is schandalig, maar ik heb net gedaan of ik sliep.

18.10 uur

Brianna belde me zojuist met haar mobieltje om te vragen of het goed met me ging. Ze zei dat ze zich zorgen maakte, omdat ik de deur niet had opengedaan. Ik kwam aanzetten met de smoes dat ik had liggen slapen en vervloekte mezelf in stilte omdat ik de telefoon had opgenomen. Ze vroeg of ze mocht langskomen en ze klonk zo gedesillusioneerd en radeloos dat ik me gedwongen voelde 'ja' te zeggen. Ze bood in ieder geval aan vier bakjes Ben & Jerry's-ijs met supergrote stukken fudge mee te brengen. En een flesje chocoladesaus.

Middernacht

Tom heeft Brianna er net uitgezet. Hij was de afgelopen twee uur steeds verontwaardigder naar haar gaan kijken, terwijl ze nu eens de goede eigenschappen van GM verheerlijkte (hij hield van haar. Dat bleek uit het feit dat hij voor haar laatste verjaardag een turkooizen armband bij Tiffany's had gekocht) en dan weer zijn lichamelijke gebreken opsomde (zijn vrouw had gelijk: aan zijn lichaam is te zien dat hij van middelbare leeftijd is. Hij heeft een bierbuik en een wijkende haargrens). Ze leek niet door te hebben dat we flink zaten te gapen en merkte ook niet dat ik op een bepaald moment in slaap viel tijdens het gesprek. Die term klopt trouwens niet, want het was meer een monoloog. Brianna praatte en wij luisterden zwijgend, terwijl we onze ogen open moesten houden met lucifersstokjes. Uiteindelijk stond Tom op en zei beleefd maar streng – op en top de ervaren, beschaafde advocaat – dat ík rust nodig had en dat híj morgenochtend weer vroeg op zijn werk moest zijn. Ze leek onaangenaam verrast, maar Tom werkte haar handig de fauteuil en de deur uit, voordat ze de kans kreeg om te vragen – en ik wist dat ze dat zou gaan doen – of ze vannacht bij ons in de logeerkamer mocht slapen. Jeanie in de babykamer, oké, maar verder komt er niemand in.

16

Donderdag, 7.00 uur

Ik heb vannacht niet geslapen. Misschien ben ik in gedachten nog bezig met Brianna's crisis of ben ik te opgewonden omdat Jeanie vanavond komt. Hoe dan ook, mijn nacht werd gevuld met vreemde, hallucinatorische dromen. Op een bepaald moment werd ik wakker terwijl het zweet over mijn rug liep. Ik was ervan overtuigd dat ik een drieling met poezenhoofden had gebaard.

Mijn benen beginnen te protesteren tegen hun nieuwe doelloosheid. De pezen zeuren, de botten kreunen, de gewrichten weigeren mee te werken als ik mijn enkels beweeg om bloed naar mijn ijskoude tenen te laten stromen. En dan die beenkramp, die onverwachte nachtelijke verschrikking die bij zwanger zijn hoort. Ik merk dat ik wakker probeer te blijven, omdat mijn lichaam weet dat als ik in mijn slaap mijn tenen strek, er een pijn door mijn been trekt die vast even erg is of zelfs nog erger dan die van de bevalling. (Als dat niet zo is, wil ik niet meer.)

8.00 uur

Brianna heeft net wéér gebeld. Ze zei dat ze de hele dag thuis zou blijven om te huilen, tenzij ik haar een reden kon geven om op te staan. Ik wist niets te verzinnen. Na vijf minuten zei ik dat ik naar de wc moest. Het spijt me heel erg, Brianna.

10.30 uur

Jeanie is nu bij haar gate op Heathrow. Waarschijnlijk mogen de passagiers al aan boord. Ik hoop dat ze eraan gedacht heeft een flesje water te kopen voor in het vliegtuig. Dat heb ik nog speciaal tegen haar gezegd.

12.00 uur

Jeanies vliegtuig is opgestegen. Ik heb de voortgang gevolgd op de website van Virgin Atlantic. Het ziet ernaar uit dat ze op tijd zal landen. Over ongeveer zeven uur stapt ze hier over de drempel.

Brianna hing weer aan de telefoon. Ik heb maar gedaan of ik naar de wc moest. Het klinkt afgezaagd, maar wat moet ik anders? Ik kan moeilijk zeggen dat ik net weg wilde gaan of dat ik aan het koken ben, want ik moet platliggen en ik ben het gezeur over GM spuugzat. Het lijkt wel alsof ik in de val zit. Als Jeanie er is, zal ik zeggen dat zij de telefoon moet opnemen om vervelende gesprekken af te vangen.

Middernacht

Jeanie en ik hebben de afgelopen vijf uur aan één stuk door gekletst. Over mijn zwangerschap, Alison, mama, de studio, haar cursus, van alles. Het is fijn dat ze is gekomen. Dat ze eindelijk hier is, maakt het bijna de moeite waard dat ik bedrust moeten houden.

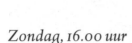

17

Zondag, 16.00 uur

De grootste voordelen van Jeanies aanwezigheid hier:

- Ze kan voortreffelijk koken en ik verlangde naar zelfgemaakt eten. Sinds ik volledig rust moet houden hebben we alleen nog maar afhaalmaaltijden gegeten. In Manhattan mogen dan een paar van de beste restaurants ter wereld zitten, maar er is een limiet aan de hoeveelheid verzadigde vetzuren die een mens kan verdragen. Gisteravond hebben we lasagne met spinazie gegeten, de avond ervoor een stoofschotel met eend en vandaag heeft ze voor de lunch een grote pan soep van appel en pastinaak gemaakt. Ze heeft beloofd meer soep te koken en die samen met wat volkorenbroodjes in te vriezen voordat ze weer naar huis gaat. Jammie!
- Ze is het enige familielid met wie Tom het kan vinden.
- Ik heb een goede reden om Brianna af te schepen als ze belt. ('Sorry! Jeanie roept. Ik moet ophangen.')

Arme Brianna. Volgens mij heeft ze het gevoel dat ik haar links laat liggen nu Jeanie hier logeert. Eerlijkheidshalve moet ik zeggen dat dat klopt. Maar na een paar traanloze dagen zonder Brianna kan ik haar wel weer verdragen. Ik heb dus gevraagd of ze dinsdagavond om zeven uur komt, zodat ze Jeanie kan ontmoeten. Hopelijk zal ze zich een beetje inhouden nu mijn zus er is. Ze kan trouwens maar een uurtje blijven, want GM heeft gevraagd of ze iets met hem wil gaan drinken om het uit te praten.

De grootste nadelen van Jeanies aanwezigheid hier:

- ❀ Ze bleek al te kunnen breien. Ik vind het niet leuk dat mijn jongere zus handiger in vrouwendingen is dan ik. Ze kan ook al veel beter koken. 'De vrouwelijke vaardigheden beheersen' staat ook op de lijst van dingen die een moderne vrouw bereikt moet hebben voor haar dertigste. Ik wil dat mijn kinderen opgroeien in een huis waar de provisiekasten uitpuilen van glimmende glazen potten met heldere zelfgemaakte jam en goedgevulde amberkleurige chutney.
- ❀ Ik slaap erg slecht en zou dolgraag een nacht alleen in bed liggen, maar Jeanie slaapt in de logeerkamer dus ik kan Tom er niet uitzetten.
- ❀ Jeanie belt Dave minstens één keer per dag en fluistert dan lieve woordjes tegen hem. Ik word er gewoon misselijk van.

18

Dinsdag, 21.00 uur

Jeanie is iets gaan drinken met een schoolvriendin die onlangs naar Brooklyn is verhuisd, dus ik heb een paar minuten
om op te schrijven wat er vanavond allemaal is gebeurd.

Om halfzeven werd er aangebeld. Lieve help, dacht ik, Brianna is vroeger gekomen, zodat ze een halfuur langer over
GM kan zeuren. Fout! Het waren mevrouw Gianopoulou en
Alexis, haar achterneef. Ik was helemaal vergeten dat ze langs
zouden komen met de laatste brief van de huisbaas.

Eerst het belangrijkste: Alexis was heel aardig, echt iemand die je graag als leraar voor je tienjarige zoon of dochter
zou hebben. Hij lijkt een beetje op Noah Wyle, tenminste zoals die eruit had gezien als hij een Griekse oma had gehad. Hij
heeft heldere ogen die verlegen kijken, een zongebruinde
huid en sluik goudblond haar. Voor een leraar was hij heel hip
gekleed. Hij droeg een Diesel-spijkerbroek en een Paul
Smith-overhemd. Ik durf te wedden dat alle meisjes die les
van hem hebben smoorverliefd op hem zijn. Dat ben ik zelf
ook bijna, maar het is lastig om vreemde mannen te begeren
als je ze amper kunt zien over de rand van je bolle buik.

Hij overhandigde me de brief en ik was er algauw achter

dat hij hem veel beter begreep dan mevrouw Gianopoulou dacht. Hij vond het gênant dat hij mij om advies moest vragen, want hij had meteen door dat ik niet als hun advocate zou optreden. Toen mevrouw G. de kamer verliet om naar de wc te gaan, zei hij dat hij de groep al maanden probeerde over te halen geld in te verzamelen om een advocaat in de arm te nemen. Maar de oudere bewoners zijn krenterig – laten we eerlijk zijn: ze zitten ook niet ruim bij kas – en ze snappen niet waarom Alexis de huisbaas zelf niet aankan.

Alexis, die op het puntje van de leren fauteuil zat, streek met zijn vingers door zijn haar in een gebaar van grote, langslepende ergernis. 'Begrijp me goed, ik help graag,' zei hij. 'Maar die oude mensen denken dat ik, omdat ik een degelijke Amerikaanse opleiding heb gevolgd, het tegen Randalls kan opnemen, hun huis kan redden en hun een onbezorgde, rustige oude dag kan garanderen. Ik heb geprobeerd hun duidelijk te maken dat het niet zo eenvoudig ligt – ik heb geen juridische achtergrond, ik gebruik alleen mijn gezond verstand – maar ze doen alsof ik maar wat aanmodder. Ik weet dat dit niet fair is tegenover jou, maar ik zou het erg waarderen als je de brief wilt lezen, wat suggesties kunt geven en wilt zeggen hoe jij ertegenaan kijkt.'

Arme man, dacht ik. Wat een verantwoordelijkheid. Op dat moment haalde hij zijn benen van elkaar en ik merkte dat ik heimelijk naar de bobbel in zijn zwarte spijkerbroek keek. De baby trapte verwijtend en na een kleine stijging van mijn hormoonspiegel daalde die weer.

Ik zuchtte en las de brief vluchtig door. Er stond in dat Randalls in december vorig jaar de firma Environment First had ingeschakeld, een particulier bedrijf dat milieu-inspecties uitvoert, om vast te stellen hoe ernstig de schimmelinfectie was. Randalls had een samenvatting van het rapport meegestuurd. Environment First stelde vast dat er in het hele gebouw *Stachybotrys atra* (giftige schimmel), *Aspergillus ustus* en *Penicillium fungi* voorkwamen. Blijkbaar zijn er de afgelopen tien jaar een aantal catastrofale lekkages geweest die de eerste schimmelinfecties hebben veroorzaakt. Veel bouwmaterialen die in de jaren veertig van de vorige eeuw werden gebruikt – plafondplaten enzovoort – bestaan uit cellulose, waardoor het complex zeer vatbaar is voor schimmels. Praktisch geen enkel appartement is schimmelvrij en vooral de wooneenheden op de begane grond, waar ongeveer twee jaar geleden een waterleiding is gesprongen, zijn ernstig aangetast. Het is waarschijnlijk duurder om het gebouw te laten reinigen dan het te laten slopen en een nieuw complex neer te zetten. Environment First raadt dan ook aan *de appartementen meteen te ontruimen en vervolgens te slopen*. Die regel uit het rapport stond vetgedrukt en had een extra groot lettertype.

De brief eindigde als volgt:

Gezien dit feit worden de huurcontracten niet verlengd en moeten de huurders binnen negentig dagen na afloop van het huurcontract hun appartement hebben ontruimd. Ieder huishouden krijgt een redelijke verhuisvergoeding en er zal passende woonruimte worden aangeboden in een ander gebouw van Randalls.

Hoogachtend, Coleman en Elgin Randall

Bij de verklaring van Environment First zat een slecht leesbare kopie van een brief van de New York State Division of Housing and Community Renewal waarin stond dat Randalls een sloopvergunning voor het gebouw had aangevraagd.

Ik las hem en schudde verdrietig mijn hoofd. Gezien de

stijgende proceskosten vanwege bewoners die wilden dat hun doktersrekeningen vergoed werden omdat ze in een beschimmeld gebouw woonden, vond ik dat je het de eigenaar niet kwalijk kon nemen dat hij zijn milieuverantwoordelijkheden serieus opvatte. De bewoners worden bedrogen, dacht ik. Als het gebouw gesloopt moet worden, dan is dat zo. Daar kan ik of wie dan ook niets aan veranderen, maar ik kan waarschijnlijk wel een advocaat aanbevelen die ervoor kan zorgen dat de huurders een redelijke onkostenvergoeding krijgen.

Op dat moment probeerde een kronkelend idee tot mijn bewustzijn door te dringen. Er klopte iets niet. Dit is niet mijn vakgebied, maar waar was de verklaring waarin stond dat de vergunning was verleend? Ik keek in de bruine envelop van Randalls. Ik las de brief opnieuw, zoekend naar een verwijzing of een terloopse opmerking. Niets. Ik kauwde nadenkend op mijn pen, terwijl Alexis me hoopvol aankeek. Environment First is een particulier inspectiebedrijf en kan sloop dus niet afdwingen. Om een gebouw waar mensen wonen die tegen een vast bedrag een appartement huren neer te mogen halen, moet Randalls alle huurders een kopie geven van een verklaring van de Division of Housing waarin staat dat de sloopvergunning is verleend.

Het was zo eenvoudig, zo duidelijk, dat ik nog even zweeg. Toen vroeg ik aan Alexis of hij de officiële vergunning wel eens had gezien. Hij zei van niet. Op dat moment kwam mevrouw G. uit de wc. Hij vroeg haar in het Grieks of zij daar iets over had gehoord. Ze haalde haar schouders op, trok haar mondhoeken naar beneden en zei: 'Nee, nooit.' 'Nou,' zei ik, 'de sloop kan er niet permanent mee worden uitgesteld, maar zonder officiële toestemming van de DHCR kunnen uw vrienden niet uit hun huis worden gezet. Misschien is er wel toestemming verleend, maar heeft Randalls vergeten de betreffende verklaring mee te sturen. Hoe dan ook, zonder die vergunning kunnen jullie de zaak flink rekken.

Je kunt je de naam van de advocaat van Randalls zeker niet herinneren?' vroeg ik. Alexis schudde zijn hoofd en keek vervolgens naar mevrouw G., die haar neus optrok. 'Volgens mij hebben we een brief gekregen van Smith en nog wat. En Smith was raar gespeld. Zou dat kunnen?' vroeg ze aarzelend. Ik knikte. 'Smyth & Westlon. Die ken ik wel,' zei ik. 'Die doen veel uitzettingen. Prima, stuur hun ook een kopie van je brief, Alexis. Dat zal zeker effect hebben.'

Ik zag dat Alexis inmiddels gespannen en onrustig keek. 'Je wilt dus dat ik naar Randalls en naar de advocaten schrijf en vraag waar de goedkeuring van de DC, de DH of weet ik veel is? Hoe heet die club ook alweer? Wacht, ik pak even een pen. Dan moet je maar dicteren wat ik aan deze heren moet schrijven.'

Ik keek een paar tellen toe terwijl hij in de zakken van zijn jasje zocht, dat over de rug van de fauteuil hing. Mevrouw G. wierp me een veelbetekenende blik toe, terwijl ik de bewegingen van Alexis volgde. Ik slaakte een zucht.

'Alexis, maak je geen zorgen,' zei ik vriendelijk. 'Ik zal het voor je opschrijven. Weet je wat? Ik schrijf de brief wel waarin staat dat de bewoners pas vertrekken nadat ze een kopie van de officiële vergunning hebben ontvangen. Je kunt die brief dan naar eigen inzicht aanpassen en aan mevrouw G. geven, zodat die hem kan ondertekenen. Ik zal ook zorgen dat je het adres van Smyth & Westlon krijgt. Goed?'

'O, dat zou geweldig zijn,' zei Alexis opgetogen. Zijn gezicht straalde van opluchting. Hij pakte mijn hand en schudde die hartelijk. Mevrouw G. knikte goedkeurend. Toen ze opstonden om te vertrekken, werd er aangebeld. Ditmaal was het inderdaad Brianna, die in de deuropening tegen Alexis op botste, traag reageerde, bloosde, naar de grond keek en een lok donker haar achter haar oor streek, zodat haar keel en de perzikachtige huid van één kant van haar hals zichtbaar werden. Een halfuur nadat ze was vertrokken, hingen de feromonen nog in de lucht.

19

Woensdag, 16.00 uur

We zijn net terug van de gynaecologe. Jeanie is deze week meegegaan, zodat Tom kon doorwerken. Hij helpt bij het uitwerken van de laatste details voor een megabod van driehonderd miljoen dollar op een kantoorruimte in het centrum. (Crimpson heeft een van de grootste afdelingen voor onroerend goed in de hele stad.) Het is slecht weer. Het is zo'n dag waarop de wolken op het trottoir neerhurken en alles in een druipende, vieze, grijze mist hullen.

Eerst voerde Cherise, de asblonde echoscopiste, de bekende handelingen uit. Ik tuurde een paar tellen naar de baby op het scherm, ging platliggen en keek om me heen in de donkere onderzoekkamer. Cherise heeft dingen boven de onderzoektafel hangen die duidelijk bedoeld zijn om patiënten van alle leeftijden en van beide geslachten bezig te houden: een mobile met drie stripfiguurachtige kuikentjes op een rij, vier zwart-witansichtkaarten van Harley Davidson-motoren en een pagina uit de *Marie Claire* met allerlei tips. Draag geen strapless topjes als je ronde schouders hebt. Met een haltertopje lijkt een kleine boezem groter en met een lang overhemd verhul je een dikke buik. Geen tips over hoe je onderkinnen kunt verbergen of wat je moet doen tegen opgezette enkels.

Nadat ze tien minuten geprikt, gewreven en geduwd had, vertelde ze me uitdrukkingsloos – het moest er een keer van komen – dat ik minder vruchtwater heb dan de vorige keer.

Weinberg zat in een boek over risicovolle zwangerschappen te lezen toen ik haar spreekkamer binnen kwam. Ze glimlachte opgewekt naar me, te stralend, toen ze het boek discreet onder het nieuwste nummer van The Jewish Week schoof.

'Ik wil dat u vrijdag langskomt voor een CTG,' zei ze vrolijk. 'We controleren dan de hartslag van de baby. Het is niets bijzonders. We doen dit uitsluitend uit voorzorg. Alles is vast in orde. Is de baby de afgelopen week actief geweest? Schopt hij nog steeds flink?' vroeg ze op een geforceerde, nonchalante manier.

Ik begreep wat ze wilde weten. Is hij gezond? Zal hij het redden? Ik weet eigenlijk niet of dit een actieve baby is of niet. Sommige dagen schopt hij zo hard dat ik bijna geen lucht krijg, maar op andere dagen voel ik bijna niets, slechts een kleine beweging in mijn bekken, een minieme trilling onder mijn ribben. Wat betekent dat?

Ik ben bang dat ik minder vruchtwater heb doordat ik meer op de been ben sinds Jeanie er is. Ik regel wel dat ze mijn waterkan vult en mijn ontbijt en lunch klaarmaakt, maar de eerste dag dat ze hier was, kon ik de verleiding niet weerstaan om een rondje door de buurt te lopen. Ze probeerde me natuurlijk tegen te houden, maar ik zei dat ik haar oudere zus was en heus wel wist wat ik deed. Bovendien was het een ongewoon warme dag voor de tijd van het jaar. De laatste vieze sneeuw smolt weg onder een strakblauwe lucht, maar nu voel ik me schuldig. Stel dat ik met mijn tien minuten durende wandeling langs wat bars, restaurants en fruitstalletjes het leven van de baby in gevaar heb gebracht. Ik heb Tom nog niet verteld dat ik buiten ben geweest en dat knaagt aan me. Ik moet het vanavond zeggen als ik vertel wat de onderzoeken van vandaag hebben uitgewezen. Hij kan best intimiderend zijn als hij boos is. Dan praat hij als een advocaat in de rechtzaal, een foefje dat ik nog steeds niet helemaal onder de knie heb. 'Ik toon u hier bewijsstuk A, een lege wc-rol. Kunt u, alstublieft, uitleggen hoe het komt dat deze lege wc-rol niet is vervangen door bewijsstuk B, de nieuwe wc-rol, die in het kastje staat dat zich in de toiletruimte bevindt, zoals u kunt zien op plattegrond C? Wat hebt u daarop te zeggen?'

Voordat ze kwam, had Jeanie blijkbaar besloten dat bedrust houden belachelijk was. Door het bezoek aan de gynaecologe lijkt ze van gedachten te zijn veranderd. Een week of twee geleden zei ze vrolijk tegen me aan de telefoon: 'Weet je wat ik denk, Q? In een ander tijdperk zou je helemaal niets over die hele oligotoestand hebben geweten en zou je over drie maanden een volkomen gezond kind op de wereld hebben gezet.' Maar toen vandaag de echo werd gemaakt en we naar de baby keken, die ineengedoken zat in wat wel een martelkamer in de Tower van Londen leek, pakte ze mijn hand. Ik zag de geschrokken uitdrukking op haar gezicht. 'Op het scherm staat dat het hoofd van de baby in het twintigste percentiel zit,' fluisterde ze op een bepaald moment onzeker tegen me. 'Is dat goed?'

Morgen vertrekt ze en ik word zenuwachtig bij de gedachte dat ik dan weer dag in, dag uit alleen zal zijn. Maar ik vind het niet alleen jammer dat ze weggaat. Ik wil me niet meer groot hoeven houden voor haar. Ik wil dat ze míj geruststelt en niet andersom. Toen we eenmaal thuis waren, zei ze steeds positieve dingen en als ik daar dan bijna van opvrolijkte, verknoeide ze alles door de opmerking in een vraag te veranderen. 'De gynaecologe is best optimistisch over je toestand. Of niet?' zei ze, terwijl ze bezorgd naar mijn buik keek. 'Ik weet dat de baby aan de kleine kant is, maar dat zegt toch niet alles, of wel soms?' En daarna aarzelend: 'Alles komt goed, hè, Q? Ja toch?' Dat is het vervelende als je de oudste bent. Je moet in dit soort situaties altijd de leiding nemen. Ik glimlachte stralend naar haar. 'Natuurlijk komt alles goed,' zei ik resoluut.

Nog een voordeel van Jeanies vertrek: ik wil Tom dolgraag naar de logeerkamer sturen, zodat ik het bed voor mezelf heb. Ik heb rode randen om mijn ogen en mijn gezichtshuid lijkt zich uit te rekken in één eindeloze geeuw. Mijn benen, mijn heupen, mijn knieën, mijn rug, mijn hoofd, alles doet zeer. Ik wil duizend jaar slapen.

20

Vrijdag, 10.00 uur

Jeanie is gistermiddag om vier uur naar het vliegveld (JFK) vertrokken. 's Avonds heb ik Tom naar de logeerkamer verbannen, het tweepersoonsbed zo aangepast dat het comfortabel is voor een zwangere vrouw (kussens bij ieder ledemaat) en ben ik lekker gaan liggen om een hele nacht ongestoord te kunnen slapen.

Maar dat lukte niet. Toms afwezigheid betekende dat ik eindelijk de ramen open kon gooien en kon genieten van de vrieskou van een avond in februari in New York. Mijn zwangere lichaam lijkt namelijk te denken dat ik me in een hittegolf in Guatemala bevind. Toch kon ik niet slapen. De drukpijn in mijn linkerzij is bijna niet te verdragen. Taxi's, dronken mannen en straatvegers lijken samen te spannen om me bijna continu bij bewustzijn te houden. Om de twintig minuten moet ik een vat water leegdrinken om mijn Sahara-achtige dorst te lessen. Telkens als ik bijna slaap, moet ik plassen, rijdt er met gillende sirene een ambulance voorbij en ben ik van schrik met zware oogleden weer terug bij af.

Dus heb ik de afgelopen nacht voor een groot deel naar de lavendelkleurige wanden van onze slaapkamer gekeken. Beter gezegd, ik zag het grijs paars worden toen het dag werd, een langzame strijd tussen kleuren zoals ik die de afgelopen eindeloze weken elke nacht heb gevolgd.

Tom zag er vanmorgen in ieder geval iets menselijker uit. Hij is de afgelopen weken steeds magerder geworden en heeft donkere wallen onder zijn blauwgroene ogen. 'Nou, Q, dat was een hele verbetering,' zei hij vrolijk, toen hij zijn marineblauwe jas en sjaal uit de kast pakte. 'Ik heb eindelijk kunnen slapen nu jij me niet steeds trapte. Misschien moeten we de rest van de zwangerschap maar apart slapen,' voegde hij er nauwelijks minder opgewekt aan toe, terwijl hij zacht een kus op mijn klamme voorhoofd drukte. 'Dan kunnen we in ieder geval goed uitgerust aan het ouderschap beginnen,' zei hij tot slot, met een stralende glimlach op zijn gezicht toen hij zijn zware kastanjebruine leren aktetas pakte en de gang in liep. De doordringende geur van verbrand geroosterd brood en marmelade bleef achter hem in de lucht hangen.

Nog lang nadat hij was vertrokken lag ik naar de dichte deur te kijken. Ik leek nog steeds op een zombie, maar dat scheen mijn man niet op te merken. Hij heeft vanmorgen geen geroosterd brood met marmelade voor me klaargemaakt. 'Sorry, schat, ik wist niet dat je wakker was. Ik dacht dat je zou uitslapen.' Alsof dat kan. Hij is ook voor het eerst sinds ik in bed moet blijven, vergeten een broodje voor me te regelen voor tussen de middag en hij heeft ook geen tussendoortjes klaargelegd, zoals koekjes, taart of brownies. Bovendien heeft hij er niets over gezegd – ik weet niet eens of hij het zich wel herinnert – dat hij vanmiddag met me naar de gynaecologe moet voor een CTG. Eén nacht apart en hij springt al uit de band. Hij is een van hen geworden, een normale persoon die 's ochtends opstaat en naar zijn werk gaat. Een gewone man met een normaal leven. Ondertussen lig ik hier de uren weg te tellen. Er is geen verschil tussen ochtend en middag, tussen een doordeweekse dag en een zondag. Ik heb me nog nooit zo eenzaam gevoeld.

Tom is weg. Jeanie is weg. Ik ben alleen. Alleen met de herinnering aan die stomme, vreselijke ruzie die ik met Jeanie heb gehad vlak voordat ze gistermiddag naar het vliegveld vertrok. Het was het oude liedje, iets waar we de afgelopen twintig jaar al heel vaak ruzie over hebben gehad, maar nu op een volwassen manier. Ze vroeg of ik zin had om in de herfst een week met Dave en haar in een vakantiehuisje in Cornwall te gaan zitten. Ik heb haar duidelijk laten weten dat ik geen stap zal zetten in een huis waar hij zich ook bevindt. Ze raakte steeds meer overstuur en zei dat ik wel bij Alison logeerde hoewel ik een hekel heb aan Greg. 'Waarom wil je niet met Dave en mij op vakantie?' Ik zei dat Greg zich in ieder geval nog waste en niet in zijn neus peuterde als hij tv-keek. Het heeft geen zin om letterlijk op te schrijven wat ik heb gezegd, want mijn enige doel was haar te kwetsen. Ik zag de bedroefde blik in haar ogen en haar mondhoeken trilden. Plotseling was zij weer zeven en ik twaalf en speelden we buiten bij ons huis in Kent.

Jeanie die achter me aan loopt door de rozentuin. Jeanie die aandacht wil. Jeanie die vraagt of ik met haar kom spelen. Ik negeer haar en trek Alison mee onder de braamstruiken aan de rand van het veld om meidentijdschriften te lezen. Ik zie de ontzette blik in de ogen van mijn kleine zusje en geniet van de macht die ik heb. Ik besef dat ik ervoor kan zorgen dat iemand anders zich voelt zoals ik me voel als mijn moeder me met lege ogen aankijkt. 'Je bent te klein. Je bent nog maar een ukkepuk. Je kunt niet met de grotere kinderen meedoen.' 'Het spijt me, Q, ik heb belangrijkere zaken aan mijn hoofd. Iemand moet hier de kost verdienen. Ga maar zelf spelen of kun je dat nog niet? Tjonge, wat ben jij een baby. Je moet nog veel leren.'

Nu is Jeanie weg en het ziet ernaar uit dat ik de komende tien weken dag en nacht alleen zal zijn. Eigen schuld, dikke bult.

Ik moet Tom bellen om hem aan de afspraak te herinneren. Misschien doe ik dat wel niet en bestel ik een taxi om me naar de gynaecologe te brengen. Dat zal hem leren. Dan voelt hij zich vanavond ontzettend schuldig als ik vertel hoeveel moeite het me heeft gekost om er in mijn eentje naartoe te gaan, met mijn ogen knipperend tegen het daglicht, een hoogzwangere vrouw met een verminderde spierspanning.

12.00 uur

Vergeet alles wat ik hierboven heb geschreven. Dat is onzin, puur zelfbeklag. Ik had de tekst al geselecteerd om hem te wissen, maar toen weerhield mijn dwangmatige behoefte om alles in dit dagboek vast te leggen me ervan het stuk daadwerkelijk te verwijderen. Tom heeft zojuist gebeld. Hij haalt me over tien minuten op. Hij dacht ruim op tijd aan de afspraak en heeft beloofd een broodje met prosciutto en artisjokharten voor me mee te brengen als lunch. En een chocolate chip cookie.

❖

Ik typ dit vanuit een ziekenhuisbed.

Tom is net de deur uit gerend om avondeten voor me te regelen. Naast me, op een formica tafeltje, staat het ziekenhuiseten dat om halfzes is gebracht. Het ziet er echt oneetbaar uit. Uit een taai stuk gehaktbrood druipt wat vocht op de dradige sperziebonen. Ik heb ook soep gekregen waar ondefinieerbare groenten in ronddrijven en verder nog een bruine banaan én een in cellofaan verpakt koekje. Dat is tenminste iets. Tom en ik keken elkaar een tijdje aan over het snel stollende gehaktbrood en besloten ons toen te verzetten tegen de chaos om ons heen. Over voedsel hebben we in ieder geval nog zeggenschap. Als het goed is, worden er over een kwartier een grote pizza met tomaat en basilicum en een verse Caesarsalade bezorgd.

De CTG van vanmiddag was het meest stressvolle onderzoek dat ik ooit heb gehad.

Aanvankelijk ging het best goed. Ik hees me in de kamer van de echoscopiste op de onderzoektafel en – ik weet inmiddels wat er gaat gebeuren – trok mijn T-shirt omhoog om mijn buik te ontbloten. Cherise smeerde de gebruikelijke kwak doorzichtige blauwe gel op mijn buik, ging op haar stoel zitten en controleerde de ligging van de baby en de hoeveelheid vruchtwater. Ik had evenveel vruchtwater als de vorige keer. Mooi, dacht ik. Dit is zo gepiept. Over een halfuur ben ik hier weg.

Daarna bevestigde ze met elastische banden twee ronde schijven op mijn buik. Met de ene band (de roze) werd de hartslag van de baby gemeten en met de andere (de blauwe) werd gekeken of ik weeën had. Vervolgens moest ik een bekertje sinaasappelsap drinken om de baby een suikerstoot te geven. Ze zei dat ik moest gaan liggen wachten. Ik las de pagina boven de onderzoektafel met tips over wat je wel en niet moest dragen. Combineer op maat gemaakte pantalons met blouses met *broderie anglaise* voor een professionele en vrouwelijke uitstraling. Draag geen truien met kraaltjes als u een grote boezem hebt.

Het geluid van de hartslag van de baby vulde het vertrek. Het geruis werd regelmatig onderbroken door ritmisch bonzen. *Lub-dup, lup-dup, lup-dup.* Op het scherm knipperde een groen cijfer: 139, 142, 143, 145. De gewoonlijk stuurs kijkende Cherise glimlachte opeens. 'Dat ziet er goed uit,' zei ze. 'De baby heeft een krachtige hartslag. Nu gaan we meten hoe hij op suiker reageert. Dokter Weinberg wil een gevarieerde hartslag zien, want dat duidt erop dat de baby gezond is. Ik ben over tien minuten terug om dat te controleren.' Daarna liep ze de gang op. De grote deur viel met een klap achter haar dicht.

Terwijl we elkaars hand stevig vasthielden in het warme halfdonker, keken Tom en ik naar het scherm en zagen de hartslag langzaam stijgen en dalen: 135, 132, 138, 142. Tom tikte met zijn voet het ritme mee. 'Dit is best leuk, Q. Ik snap niet waar je je zo druk over maakte.' Na een paar minuten voelde ik de baby flink schoppen. Ik zag kleine bobbels op mijn buik die werden veroorzaakt door een slaande hand of trappende voet en een fractie van een seconde later ging de hartslag omhoog naar 150, 155, 160, 165. 'Mooi, zo te zien zijn we hier klaar. Ga Cherise maar halen,' zei ik enorm opgelucht tegen Tom. Hij knikte en liep de gang op om haar te zoeken.

Een paar seconden nadat hij het vertrek had verlaten gebeurde er opeens iets. Geruis, geruis, *lub——dup, lub——dup, lub——dup.* De tijd tussen de bonzen werd langer. Het geruis klonk als een rivier waar langzaam stroop doorheen stroomde. Het getal op het scherm werd steeds lager: 120, 118, 104, 97, 92.

Ik raakte in paniek. Het cijfer liep razendsnel terug. Ik schreeuwde Toms naam, terwijl ik over mijn toeren mijn buik masseerde en over het kleine harde lichaam wreef dat opgekruld lag onder mijn strakgespannen huid. Ik weet niet wat ik met die massage dacht te bereiken, maar ik wilde contact maken met mijn kindje om tegen hem te zeggen dat ik er was en dat hij moest volhouden. Kom op!

Tom hoorde op de gang al dat de hartslag terugliep en rende met een bleek, groenig gezicht naar binnen. De echoscopiste liep ongeveer twee passen achter hem. Ze wierp één blik op de monitor en blafte tegen me: 'Ga onmiddellijk op uw zij liggen! We moeten deze baby bevrijden van zijn navelstreng.' Ik snapte niet wat ze bedoelde, maar ik draaide me vlug op mijn zij en toen viel de monitor stil. Het was de meest oorverdovende en engste stilte die ik ooit had gehoord. Ik hoorde mezelf jammeren: 'Wat betekent dat? Is hij dood?' Cherise liet de schijven over mijn buik glijden, terwijl ik spartelde als een pas gevangen vis om zo op de een of andere manier zijn hart weer op gang te brengen. 'Lig stil!' zei ze uiteindelijk dringend. 'Hij is niet dood. De schijf ligt niet meer boven zijn hart en daardoor zijn we het signaal kwijt. U moet stil blijven liggen terwijl ik het hart probeer te vinden.' Toen hoorden we het geluid opeens weer. Luid en duidelijk: 130, 135, 137, 135. De groene getallen knipperden geruststellend naar ons.

Tom liet zich op een plastic stoel vallen en legde zijn hoofd in zijn handen. Ik trilde hevig. Cherise haalde diep adem. 'Blijf op uw zij liggen,' beval ze. 'Waarschijnlijk is alles in orde, maar ik ga voor de zekerheid dokter Weinberg halen. Ik ben over een minuut of twee terug.'

Nadat we een tijdje verbijsterd op de gynaecologe hadden

gewacht, kwam ze binnen. Ze glimlachte even naar ons en bekeek de lange strook grafiekpapier met rode hokjes die door de monitor werd uitgespuwd. Een grillige streep toonde de pieken en dalen van de hartslag van de baby. Ik zag die ene steile daling die gevolgd werd door een blanco stuk. Ik keek haar aan en hoopte dat ze zou zeggen dat dit normaal is en vaker gebeurt.

Maar dat zei ze natuurlijk niet. Ze ging op de rand van de onderzoektafel zitten en pakte mijn hand. Ik hield hem stevig vast alsof ik een drenkeling was. 'Hoor eens,' zei ze vriendelijk. 'Ik denk dat de baby in nood is omdat hij door te bewegen zijn navelstreng afknelt. Vruchtwater fungeert als een soort kussen tussen de baby en de navelstreng en u hebt niet voldoende vruchtwater. Snapt u dat? Uit de scherpe daling van de hartslag concludeer ik dat hij niet voldoende zuurstof krijgt. U moet worden opgenomen.'

En nu zijn we dus in het ziekenhuis. Ik lig in een smal bed aan een infuus en typ dit op mijn palmtop die ik een halfuur geleden gelukkig onder in mijn handtas heb gevonden. Hij lag tussen een aangebroken verpakking maagtabletten en wat pennen zonder dop. Tom heeft beloofd morgen mijn laptop mee te brengen. In de hoek van de kamer knippert een monitor: 130, 132, 145, 140.

21

Zaterdag, 2.00 uur

Tot nu toe heb ik vannacht twintig minuten geslapen.

Toen ik een paar minuten geleden bijna indommelde, kwam er een verpleegkundige, een zekere Andrea, om controles uit te voeren. 'Bloeddruk, pols, temperatuur. Hebt u pijn? Als u uw pijn een cijfer moet geven op een schaal van een tot en met tien, welk cijfer geeft u dan?' Als ik uit het ziekenhuis kom, zal ik niet meer zeuren over bedrust houden. Ik zal nooit meer klagen over slaapgebrek en nooit meer jammeren omdat ik op mijn linkerzij moet liggen. Tot vandaag wist ik niet hoe goed ik het had. In een ziekenhuis liggen is afschuwelijk.

Ik word zenuwachtig van de monitor. Ik kijk er de hele tijd naar. Telkens als het groene cijfer in het donker terugloopt, schrik ik me wezenloos.

3.00 uur

De hartslag van de baby daalde net pijlsnel. Ik zag het gebeuren (*lub——dup, lub——dup*) en drukte in paniek op het knopje om een verpleegkundige te roepen. Andrea kwam en vertelde me op sussende toon dat ik me geen zorgen hoefde te maken. Ze hield in de centrale post mijn monitor in de gaten. 'Het gaat niet geweldig met hem, maar ook niet slecht,' zei ze, met een licht Iers accent. Ze heeft beloofd dat ze me zal helpen om in een andere houding te gaan liggen, zodat de baby bevrijd wordt van zijn navelstreng als de hartslag tot een gevaarlijk niveau zakt. Maar ik krijg de indruk dat Andrea behoorlijk overbelast is. Wat gebeurt er als ze de vrouw met de drieling in kamer 27 aan het helpen is? Hoewel Andrea nadrukkelijk heeft gevraagd dat niet te doen, heb ik het volume van de monitor harder gezet. Dan kan ik controleren hoe het met de baby gaat zonder me om te hoeven draaien om het scherm te kunnen zien. Ik ben zijn moeder. Ik moet over zijn veiligheid waken.

22

Zaterdag, 4.00 uur

In het donker luister ik naar zijn hartslag. *Lub-dup. Lub-dup. Lub-dup.*

In het donker luistert hij naar mijn hartslag. *Lub-dup. Lub-dup. Lup-dup.*

23

10.00 uur

Nog geen vierentwintig uur geleden was ik thuis. Zesendertig uur geleden was Jeanie er nog. Ongelofelijk. Ik heb het idee dat ik al een eeuw in dit ziekenhuis lig. Mijn wereld is gekrompen en bestaat nu uit deze kleine kamer, een smal metalen bed, een piepende monitor en een flink opgerekte witte buik.

Rond een uur of acht werd mijn ontbijt gebracht. Ik begin nu echt gek te worden, want ik viel enthousiast aan op de rubberachtige omelet en het kartonnen pakje houdbare melk. Binnen vijf minuten was mijn dienblad helemaal leeg. Ik ben een zeer hongerige zwangere vrouw, dat is mijn enige excuus.

Op het moment dat ik het laatste stukje koude gebakken aardappel in mijn mond stopte, kwam er een jonge arts-assistent met een rond, kaalgeschoren hoofd binnen. Hij bekeek de uitdraai van de monitor en haalde zijn schouders op. 'Dat ziet er helemaal niet slecht uit,' zei hij. 'Slechts één dip en de hartslag van de baby had snel weer het normale ritme. Dit is heel geruststellend. Misschien mag u over een paar dagen wel naar huis,' zei hij terloops, waarna hij de deur uit liep om bij de vrouw met de drieling in kamer 27 te gaan kijken.

Ik lag hem met open mond na te kijken. De hele nacht heb

ik me allerlei verschrikkingen in mijn hoofd gehaald – overlijden, neurologische afwijkingen, blijvende handicaps – en nu zei iemand dat de baby misschien toch niets mankeert! Opgelucht belde ik Tom om het goede nieuws te vertellen. Hij zei dat hij iets zou proberen te regelen, zodat hij vanmiddag een uur op bezoek kan komen. Hij vond het erg goed van zichzelf dat hij daaraan had gedacht. 'Het is lastig om dat voor elkaar te krijgen, Q, maar ik heb aan Phil, de partner met wie ik aan dit bod werk, uitgelegd dat dit heel belangrijk is.' Dat vind ik wel het minste wat hij kan doen. Mooie echtgenoot is dat! Ik wil iemand die mijn hand vasthoudt.

11.30 uur

Tien minuten geleden stormde er iemand binnen die zich voorstelde als de dienstdoende arts. Voordat ik doorhad wat er gebeurde, hingen mijn knieën bijna aan het plafond en morrelde een onbekende man aan mijn onderkant met iets wat eruitzag en aanvoelde als een puntige zilveren vork. Na vijf zeer onbehaaglijke, om maar niet te zeggen gênante minuten trok de vreemde man zijn latex handschoenen uit, die associaties met seksspelletjes opriepen, en vertelde me botweg dat hij nog niet gerustgesteld was over de conditie van de baby. In tegenstelling tot de opgewekte arts-assistent deelt hij de mening van dokter Weinberg dat de baby misschien de navelstreng dichtknijpt als hij actief is. Hij wil dan ook doorgaan met continue bewaking. Voordat hij wegging, haalde hij een onheilspellende folder over het toedienen van steroïden uit de rechterzak van zijn witte doktersjas.

'Als we vermoeden dat de baby niet goed groeit, gaan we de weeën opwekken, ook al is het onwaarschijnlijk dat de longen van uw kind volgroeid zijn,' zei hij op neutrale toon tegen me. 'Door hem steroïden te geven zullen de longen sneller rijpen, zodat hij een betere overlevingskans heeft, maar de eerste paar weken zal hij op de intensive care moeten liggen.' Dat vertelde hij even emotieloos, alsof het om een niet al te ernstige teennagelbehandeling ging.

Hij liet me confuus achter. Ik vind het verwarrend dat er uiteenlopende meningen over mijn toestand zijn. Iedereen lijkt een eigen theorie te hebben over hoe het met mijn baby gaat. Ik raak er steeds meer van overtuigd dat niemand precies weet wat er aan de hand is. 'Waarom heb ik dit probleem?' 'Daar kunnen allerlei redenen voor zijn,' zei de dienstdoende arts. 'We weten het eigenlijk niet.' 'Zal mijn zoon gezond zijn?' 'Dat antwoord moeten we u ook schuldig blijven.' 'Wat mankeert er aan mijn baarmoeder? Zal dit een volgende keer weer gebeuren?' 'Dat moet u niet aan mij vragen,' zei hij, terwijl hij onbeholpen achterwaarts de deur uit liep.

Hij vertelde me dat mijn zoon iets minder dan drie pond zal wegen als hij deze week gehaald moet worden. Zelfs mijn laptop is nog zwaarder.

Ik moet kalm blijven.

Tom is er, verdorie, nog steeds niet en daarom belde ik uit radeloosheid mijn moeder. Dat was natuurlijk een vergissing.

'Jeanie vertelde dat jullie hadden gewandeld,' zei ze boosaardig. 'Q, je drijft me echt tot wanhoop. Ooit zul je ophouden met jezelf op de eerste plaats te zetten! Op een dag zul je merken dat ouders offers moeten brengen voor hun kinderen.'

Zo is het genoeg, dacht ik, toen haar stem maar doorzeurde in mijn oor. 'Wat voor offers heb jij dan voor mij gebracht?'

viel ik haar verbitterd in de rede. 'Wanneer ben ik ooit op de eerste plaats gekomen? Toen ik zes was en je zei dat ik geen kinderfeestje mocht geven omdat je het te druk had omdat er controleurs op de bank zouden komen? Of toen ik tien was en ik van balletles af moest omdat je geen zin meer had om me steeds dwars door de stad naar de balletstudio te brengen? Of misschien toen ik vijftien was en je vergat te komen kijken toen ik was doorgedrongen tot de laatste ronde van de nationale voorleeswedstrijd voor poëzie? Weet je nog dat je je secretaresse de schuld gaf omdat ze je er niet aan had herinnerd?'

'Ik heb allerlei offers voor je gebracht,' zei ze stomverbaasd en woedend. 'Ik had maar één agenda en die werd door mijn secretaresse beheerd. Natuurlijk was het haar fout dat ik de wedstrijd miste. Je denkt toch zeker niet dat dat opzet was? Niet te geloven dat je daar nog steeds over begint! En wat had ik dan moeten doen met die balletles? Ik had drie kinderen en die wilden alle drie iets anders. De een wilde op ballet, de ander wilde trombone spelen en de derde die stomme triangel. Ik kon niet overal naartoe rijden en die achterlijke vader van je had nooit zijn rijbewijs gehaald.'

'Wat een rotsmoes,' schreeuwde ik in de hoorn. 'Je had wel tijd om zestien uur per dag op kantoor te zijn. Je had me best naar balletles kunnen brengen. Dat kostte hooguit een kwartier! Papa kon dan misschien niet autorijden, maar hij was in ieder geval thuis om ons 's avonds in bad te doen! De dag waarop je zei dat ik geen kinderfeestje mocht geven, organiseerde hij er zelf een. Hij verkleedde zich als clown en ik kreeg groene gelatinepudding, ijs en cakejes. Dat heb ik altijd onthouden en het is een van mijn gelukkigste jeugdherinneringen. Ik kan je wel vertellen dat jij in geen enkele herinnering voorkomt.'

Toen hield ik mijn mond, want het gesprek liep uit de hand.

Ik kon niet geloven wat ik zojuist had gezegd en zij volgens mij ook niet. Er viel een lange stilte.

'De dochter van June Whitfield zegt dat het ziekenhuis waar je in ligt een geweldige kraamafdeling heeft en een fantastische neonatologieafdeling,' zei ze opeens. 'Die is blijkbaar wereldberoemd,' vervolgde ze, met een vreemde klank in haar stem. 'Het is een hele opluchting om te weten dat je in goede handen bent, Q!'

Ik kan niet goed onder woorden brengen hoe verbaasd ik was over deze uitspraak. Los van het feit dat ik dacht dat ze op het punt stond me te onterven, had ik nooit verwacht dat mijn moeder een instelling in New York anders zou omschrijven dan (a) corrupt of (b) ondeskundig. Ik zweeg even.

Vijf minuten later zaten we midden in een geanimeerd gesprek over mijn baby, mijn behandeling en de verwijdering van de baarmoeder van de dochter van June Whitfield. Om de een of andere onduidelijke reden had mijn moeder ditmaal bakzeil gehaald. Zou het kunnen dat ze gezien de omstandigheden voor één keer had besloten het gevecht met mij niet aan te gaan? Zette ze mij en mijn behoeften nu dan toch op de eerste plaats?

Middernacht

Tom is net weggegaan. Uiteindelijk kon hij vanmiddag toch geen uur vrij nemen. Hij vertelde dat hij op het laatste moment te horen kreeg dat hij een clausule van een bod moest herschrijven, maar hij stond om halfelf naast mijn bed met mijn laptop en drie grote bruine boodschappentassen vol junkfood: pizza, patat, cola, koekjes, taart. 'Sorry, Q,' riep hij, toen hij bijna buiten adem de kamer binnen stormde, 'maar ik weet zeker dat je hiervan zult opknappen! Ik ben door de supermarkt op de hoek gerend en ik heb een kar vol geladen met alleen maar ongezonde dingen. Geen vitamine te bekennen.' Ik waardeer het idee, maar nu, na drieënhalfduizend calorieën aan vet en koolhydraten naar binnen te hebben gewerkt, ben ik misselijk. Ik moet ook plassen, maar ik zie ertegen op de monitor los te koppelen en met het infuus over de koude vloer naar de wc te strompelen. Bovendien ben ik bang dat er iets gebeurt als ik niet aan de monitor lig, dat de hartslag van de baby daalt en ik dat niet merk.

24

Zondag, 4.00 uur

Ik heb net een nachtmerrie gehad. Ik droomde dat ik in het ziekenhuis lag en dat de kans zeer groot was dat mijn baby tweeënhalve maand te vroeg geboren zou worden. Ik werd wakker en een paar wazige momenten dacht ik: alles is in orde, Q. Het was maar een droom. Je bent veilig thuis! Toen hoorde ik gedempte geluiden op de gang. Ik zag helwit licht onder de metalen deur door komen. Ik voelde de prikkende naald van het infuus in mijn pols en de plastic schijven die strak op mijn buik zijn bevestigd. Toen drong in volle omvang tot me door dat het echt was.

7.00 uur

Ik voel me vies. Ik heb al twee dagen niet gedoucht. Mijn haar voelt vettig aan, mijn gezicht plakt en ik zou graag iets aantrekken zonder split op de rug. Bovendien heb ik al sinds vrijdag dezelfde bh aan, omdat ik die niet over de stellage van het infuus krijg. Ik heb het gisteravond geprobeerd. Het lukte me om hem van mijn schouders te krijgen, over het infuusbuisje en de waterzak, helemaal tot boven aan de stellage en toen recht naar beneden, maar wat ik ook probeerde, ik kreeg de bh niet over de vier metalen poten heen. Het elastiek weigerde verder op te rekken. Ik zat dus ineengedoken, met mijn ziekenhuishemd op mijn enkels en zonder bh aan op de betegelde badkamervloer. Ik hoopte maar dat de verpleegkundige (Eddie) niet uitgerekend op dat moment mijn bloeddruk zou komen meten.

Het goede nieuws is dat de baby niet in nood is geweest. Om vijf uur daalde zijn hartslag een beetje, maar voor het grootste deel zat hij in wat Eddie 'de veilige zone' noemt.

8.00 uur

De dienstdoende arts is zojuist langs geweest en heeft gezegd dat ik vanochtend mag douchen.

Ze controleerde de uitdraaien van de monitor en leek redelijk tevreden over de uitslag. Ze vertelde dat dokter Weinberg bang was dat de hartslag van de baby regelmatig tot steeds lagere waarden daalde. Tot nu toe wijzen de onderzoeken van het ziekenhuis uit dat dit niet het geval is. De baby zal de navelstreng dus wel niet al te zeer beschadigen als hij beweegt. Blijkbaar zijn incidentele dipjes toegestaan. Over het algemeen zijn de artsen dus gerustgesteld. Daar hebben we dat woord weer!

Ik ben erg opgelucht, hoewel de dienstdoende arts zei dat

het nog steeds mogelijk was dat ze me de rest van de zwangerschap in het ziekenhuis houden. Als de baby dan in de problemen komt, kunnen ze vlug ingrijpen. Blijkbaar is er vanmorgen om tien uur een vergadering waarin dit wordt besproken. Ik weet niet of ik me nu belangrijk moet voelen (een vergadering over míj alleen! Veel artsen in witte jassen die over míj praten!) of dat ik me moet ergeren aan dit irritante slag mensen dat zich God waant en over mij vergadert zonder dat ik er zelf bij ben. En dat geldt natuurlijk ook voor Tom.

Ongeveer tien minuten nadat de dienstdoende arts was vertrokken, belde de gynaecologe. 'Kan ik deze baby uitdragen?' vroeg ik. De artsen in het ziekenhuis mogen dan gerustgesteld zijn, dat ben ik zelf nog niet. 'Uitdragen? Oei, dat betwijfel ik,' zei ze met een diepe zucht, zodat de lijn kraakte. 'Ik ben al blij als u de vijfendertig weken haalt. Het ziet ernaar uit dat u straks geen vruchtwater meer hebt en dan is het voor uw kindje beter om eruit te zijn. Zonodig leggen we hem in een couveuse. Misschien kan hij met vijfendertig weken wel zelfstandig ademhalen en dan zult u hem zeker borstvoeding kunnen geven. Laten we ons daarop richten. Goed?'

Dat is dus mijn nieuwe doel: vijf weken erbij. Dat zijn vijfendertig dagen, achthonderdveertig uur. Dat is niet zo lang. Zelfs als ik hier aan de monitor moet blijven liggen is het te overzien.

De baby lijkt opeens echter dan ooit, zegt me meer dan toen Cherise een echo maakte en ik zijn piepkleine beentjes op het scherm zag bewegen. Mijn oren zijn gevuld met het geluid van zijn bestaan, zijn levendigheid. We liggen hier gezellig naar elkaars hartslag te luisteren. 'Liefde bracht je op gang als een groot gouden horloge,' zei ik tegen hem. 'Dat zijn woorden van Sylvia Plath. Op een dag zal ik je vertellen wie dat was.'

Zijn hartslag gaat op dit moment geruststellend snel. Ik

durf het aan om mezelf los te koppelen van de monitor en te gaan douchen.

9.00 uur

Ik ben schoon. Ik ben fris. Ik ben nog nooit zo puur geweest.

Dat laatste zinnetje komt uit een gedicht van Plath, al was de inspiratiebron bij haar geen fles kiwi-met-limoenshampoo en geen monster crèmespoeling met perzikextract die Eddie onder de balie van de centrale post had gevonden. Ik heb flink wat van deze sterk ruikende haarproducten gebruikt en voel me een ander mens, al ruik ik nu waarschijnlijk naar een fruitsalade. Ik heb crème op mijn gezicht gesmeerd, mijn haar gedroogd, zwarte mascara opgedaan (waarom ook niet?) en een schoon ziekenhuishemd aangetrokken. Ook dit gewaad met een beeldig bloemetjespatroon heeft een split op de rug, maar het is in ieder geval gestreken en er zitten geen ketchupvlekken op. (Het is lastig om patat te eten in bed.) En ik heb eindelijk die hinderlijke bh uitgetrokken. Mijn borsten, die tegenwoordig rond en moederlijk zijn, schudden heen en weer onder mijn ziekenhuishemd als twee babyzeehondjes in een zak.

Mijn kleine mannetje reageert fel op het laatste chocolate chip cookie, want hij trapt en wringt zich in allerlei bochten. Mijn buik golft bij elke beweging. Hij is vast net zo dol op koekjes als zijn moeder.

16.00 uur

Tom is zojuist vertrokken.

Hij is ongeveer veertig minuten hier geweest. Toen ging zijn telefoon. Het was een van de partners, die zei dat hij met-een naar kantoor moest komen. Ik keek toe terwijl hij telefo-neerde. 'Echt waar? Kan dat niet... Nee, nee, ik snap het. Goed. Kan het echt niet... Goed. Ja, goed.' Ik wist dat er iets aan de hand was, dat er iets mis was. Zijn ogen schoten steeds naar mij en keken dan weer ongemakkelijk een andere kant op. Aan het eind van het gesprek klapte hij, zonder me aan te kijken, zijn zilveren telefoon dicht en zei dat hij over een paar weken misschien naar Tucson moet om met een van de groot-ste klanten van Crimpson een aantal nieuwe pachtovereen-komsten voor hotels uit te werken.

Ik hapte naar adem. Tucson? Als ik naar huis word gestuurd, hoe red ik het dan in mijn eentje? En als ik nog in het ziekenhuis lig, hoe kom ik dan de dagen door zonder hem?

Ik kon mijn oren niet geloven. Ik hoorde hem vaag zeggen dat zijn moeder wel kon komen om voor me te zorgen. 'Ik weet dat het niet ideaal is, Q, maar ze wil meer betrokken zijn bij ons leven en dit kan een mooie gelegenheid zijn.' Ik kromp ineen. Lucille in huis halen? Dat was toch zeker een grapje? Ik keek hem een paar tellen sprakeloos aan. Toen zei ik dat hij moest proberen om onder de reis naar Tucson uit te komen. Voordat ik er erg in had, flapte ik eruit of hij echt zo nodig partner moest worden bij het advocatenkantoor waar hij nu werkt. Misschien kon hij overwegen een baan te zoe-ken bij een kleiner, minder prestigieus kantoor, waar mensen in het weekend naar huis mogen en tegelijk met hun kinderen kunnen eten.

Hij stond aan het voeteinde met het puntje van zijn gestreepte zijden stropdas te spelen, iets wat hij altijd doet als hij gespannen is. Toen mijn woorden tot hem doordrongen, keek hij me een paar tellen aan en ik zag allerlei emoties in zijn ogen: ongerustheid, woede, teleurstelling, frustratie en nog veel meer. Hij keek alweer een andere kant op voordat ik had vastgesteld welk gevoel overheerste. Hij heeft prachtige ogen, blauwgroen, de kleur van de zee. Toen ik die zag, wist ik weer hoeveel ik van hem hou, maar terwijl ik dat dacht, tuimelden de woorden als een stortvloed uit mijn mond. Ze maakten duidelijk dat er iets was veranderd en dat ik vanaf nu het gevoel wilde hebben dat ik op de eerste plaats kom en dat idee ook wil hebben als alles achter de rug is en de baby er is.

'Ik ben het zat dat je er nooit bent,' zei ik tegen hem, terwijl ik me liet meevoeren op een golf van emotie. 'Ik heb er genoeg van dat ik eten toegeworpen krijg voordat je de deur uit gaat. Ik ben je vrouw, geen zeeleeuw. Wat verwacht je nou? Dat ik de vis doorslik en met mijn poten applaudisseer? Ik heb geen zin meer in een relatie van 's ochtends een kwartier en 's avonds een kwartier. Ik wil de weekends terug. Ik wil dat het weer zoals vroeger wordt toen we elkaar pas kenden. Ik wil verdwalen in Central Park. Ik wil aan zee verbranden bij Jones Beach. Ik wil te grote glazen martini drinken en vervolgens flikflooien tijdens de zeven loom geserveerde gangen van een diner bij L'Espinasse.'

Na een paar minuten draaide hij zich om, liep bij het voeteinde vandaan en ging bij het raam staan. Ik zag hem naar buiten kijken, naar de voorbijtrekkende middag in Manhattan. Het verkeerslawaai wordt gedempt door de driedubbele beglazing. Binnen voel ik me afgeschermd van de drukke wereld buiten. Ik lig hier stil en rustig, terwijl de auto's luidruchtig voorbijrazen. Tot nu toe vond ik die stilte en rust benauwend, deprimerend en saai, maar vandaag besef ik dat ik het prettig vind om hier samen met de baby in een cocon gewikkeld te zijn. Natuurlijk ben ik bang en verveel ik me, maar ik vind het fijn om mijn leven niet in tijdsblokken op te hoeven delen, in declareerbare eenheden van een kwartier die worden bijgehouden in een benauwende, grote zwarteleren bureauagenda. Ik wil dat hij iets van dat gevoel met me deelt. Ik wil in ieder geval een deel van deze lange vervelende dagen samen met hem doorbrengen en opnieuw leren zijn gedachten te lezen.

Tijdens mijn relaas luisterde Tom met zijn gezicht half verborgen in de langer wordende schaduwen van een gure middag in maart. Hij is erg weinig bij me langs geweest in het ziekenhuis en opeens gaf hij toe dat dit opzet was. 'Ik vond het de afgelopen maand ontzettend vermoeiend om over jou in te zitten en aan je te denken,' zei hij gespannen en met een iel stemmetje. 'Ik weet dat er hier voor je wordt gezorgd en dat je te eten krijgt, en dat is een hele opluchting,' voegde hij eraan toe. Toen hij zich omdraaide naar het bed zag ik dat hij hondsmoe was. 'Het spijt me, Q. Ik weet dat je het zwaar hebt,' vervolgde hij. 'Maar dat geldt ook voor mij, hoor. Opstaan, naar mijn werk gaan, de gebruikelijke dingen doen en er dan ook nog eens voor zorgen dat het jou aan niets ontbreekt. En wat Crimpson betreft... Q, ik aas al tien jaar op die baan. Ik probeer partner te worden bij een van de grootste en belangrijkste advocatenkantoren in de stad. Dat is mijn grootste ambitie. Zeg alsjeblieft niet dat ik daarmee moet ophouden.'

Ik keek hem aan. Er leek langzaam een ijsklomp te smelten in mijn maag. Plotseling liet hij zich naast me op het bed vallen en pakte mijn hand. 'Q, ik hou van je,' zei hij ernstig, met zijn lippen tegen mijn vingers. 'Ik hou zielsveel van je. Dat weet je. We wisten dat het moeilijk zou worden toen we besloten een kind te nemen. We hebben toch afgesproken dat we op de een of andere manier een oplossing zouden vinden? Meer vraag ik op dit moment niet van je. Ik wil alleen dat we ons houden aan de afspraken die we een paar maanden geleden hebben gemaakt.'

Mark en Lara belden vijf minuten geleden om te zeggen dat ze vanavond op bezoek komen. Ik kan hen niet uitstaan, maar ze zullen in ieder geval voor wat afleiding zorgen.

20.00 uur

Er is iets geks gebeurd.

Het gaat over Mark en Lara en…

Wacht, ik zal het verhaal in chronologische volgorde vertellen.

Mark en Lara arriveerden om zes uur. Lara zag er ontstellend elegant uit in een monochromatisch broekpak van Chanel. De vouwen in mijn ziekenhuishemd met bloemetjespatroon verdwenen spontaan toen ik haar zag.

'Je hebt vast al gehoord dat ik in verwachting ben,' zei ze. Ze ging in de voedingsstoel naast mijn bed zitten en schopte haar lichtroze suède laarzen met een klein hakje uit. 'Ik ben nu drie maanden,' voegde ze eraan toe, waarbij ze heel terloops een blik op haar superplatte, in haute couture gehulde buik wierp. Ik zag de zelfvoldane blik in haar ogen. Toen ik drie maanden zwanger was, kon ik alleen nog van die nylon jurken met elastiek in de taille aan, die je in de supermarkt kunt kopen.

'Ja, dat weet ik,' antwoordde ik kribbig. Wat nu weer? dacht ik. Is het vandaag de bedoeling om zwangere vrouwen die in het ziekenhuis liggen te stangen?

'Het komt natuurlijk slecht uit,' vervolgde ze, waarbij ze haar benen van het voetenbankje af liet glijden en keek alsof ze iets heel belangrijks ging vertellen. 'Je snapt wel dat het moeilijk voor ons is om blij te zijn.'

Ik was een beetje van mijn stuk gebracht. 'Mijn probleem hoeft je er niet van te weerhouden om, eh…,' begon ik onbeholpen.

Lara's stem trilde van het lachen. 'Welnee, Q,' zei ze vrolijk. 'Ik heb het niet over jou!' Er volgde een onderbreking om de gewichtige uitdrukking weer op haar gezicht te krijgen. 'Ik bedoel mijn vader. Hij is namelijk nog steeds ernstig ziek. Ja, het is een zware tijd voor mijn familie. Nu ik in dit ziekenhuis ben, komt alles, eerlijk gezegd, weer boven. Ik denk dat ik in een kraamhotel ga bevallen. Na wat ik heb meegemaakt kan ik de sfeer in een ziekenhuis niet aan.'

Terwijl ze doorzeurde over geboortesuites, kraamverzorgsters en dat soort onderwerpen begon er ergens in mijn achterhoofd een belletje te rinkelen. Ik probeerde me te herinneren hoe het precies zat. Enkele maanden geleden ging 's avonds laat de telefoon. Het was Mark die Tom belde om te vragen of hij een goede hartspecialist wist. Toms vader is namelijk chirurg in het Johns Hopkins-ziekenhuis. Lara's vader had net een hartaanval gehad en Mark probeerde zich nuttig te maken.

'Het is een vreselijke klap voor me geweest,' hoorde ik haar zeggen. 'Ik slik kalmeringsmiddelen sinds mijn moeder belde om het te vertellen. Mijn gynaecologe zegt dat die medicijnen geen nadelige gevolgen hebben voor de baby en dat het het allerbelangrijkste is dat ik rustig ben. Volgens mij klopt dat wel. Dat vind jij toch ook? Ik kan geen goede moeder zijn als ik niet in harmonie ben met mezelf.'

Mark stond waar Tom eerder die middag had gestaan, bij het raam, en keek naar buiten naar de straten van Manhattan.

Ik zag de bijna kale plek op zijn achterhoofd. Ik zag de roze huid tussen zijn spaarzame grove haren door. Tom beweert dat Mark er vroeger heel goed uitzag. Ik kan het me nauwelijks voorstellen. Zo oud zijn we nog niet. Hij is begin dertig.

Het was buiten al behoorlijk donker. Lussen van witte lampjes die tussen de bomen in hingen glinsterden langs de drukke trottoirs en verlichtten de mensenmenigte die zich bezighield met talloze uiteenlopende zaken.

Lara was nog steeds aan het woord.

'Eerlijk gezegd – en dat moet je maar niet verder vertellen – was deze baby er nooit geweest als mijn vader niet zo ziek was geworden. Achter de wolken schijnt dus inderdaad de zon. Je weet wel wat ik bedoel!' zei ze, met een afschuwelijk zelfvoldaan onnozel lachje.

Ik knipperde met mijn ogen. 'Hè?' zei ik verbijsterd. 'Ik snap het niet.'

Mark stond nog steeds zwijgend bij het raam, met zijn handen diep in de zakken van zijn blauwe spijkerbroek. Hij leek ons gesprek niet te volgen. Lara keek naar zijn rug en boog toen naar me toe.

'De baby is die nacht verwekt,' fluisterde ze in mijn oor, met een schalks, samenzweerderig lachje. 'De nacht van mijn vaders hartaanval. Tjonge, wat een nacht. Ik had niet gedacht dat Mark me zoiets vreselijks kon doen vergeten, maar hij was zo, eh… veeleisend. Het was geweldig, heel opwindend…'

Ze begon op fluistertoon allerlei details over hun seksuele uitspattingen te vertellen in de nacht dat haar vader ziek was geworden. Ze vertelde dat Mark er al heel lang over fantaseerde dat ze een rode fluwelen bustier zou aantrekken, 's nachts over straat zou lopen en opeens met hem mee zou gaan.

Kort na die laatste woorden viel het kwartje. Een rode fluwelen bustier. Lieve help! 'Ja,' vervolgde Lara, die dacht dat ik om een andere reden naar adem hapte, 'ik begrijp je reactie. Ik moet toegeven dat ik het ook nogal sletterig vond, maar door de nabijheid van de dood was ik roekeloos geworden. Q, ik had nog nooit zulke geweldige seks gehad. Mark was behoorlijk op dreef.'

'Lara, houd je mond!' viel Mark haar in de rede. Hij had blijkbaar net doorgekregen welke wending het gesprek had genomen. Hij haalde zijn handen uit zijn zakken en zette ze vastberaden in zijn zij. 'Waar heb je het in vredesnaam over?' vroeg hij, met een onheilspellende, woedende blik in zijn ogen.

Lara lachte weer schalks en rekte zich vervolgens loom uit in de voedingsstoel. 'Och, schat, daar hoef je toch niet verlegen van te worden? Ere wie ere toekomt,' zei ze. Daarna stak ze een vinger in haar mond (ik verzin het echt niet!) en beet op haar nagel, wat ze zelf ongetwijfeld een heel sexy gebaar vond.

Mark sloeg zijn armen strak over elkaar. 'Ik denk niet dat Q geïnteresseerd is in ons seksleven, Lara, en ik vind het ontzettend gênant dus laten we erover ophouden.' Zijn lichaam stond stijf van irritatie. Lara haalde haar schouders op en keek me met een geamuseerde blik aan. Ik vermeed angstvallig haar in de ogen te kijken.

Ongeveer tien minuten later gingen ze weg, maar ik kan me geen woord meer herinneren van waar we het verder over hebben gehad. Ik hoorde steeds zinnetjes in mijn hoofd. Het leken clichés, maar inmiddels hadden ze de onmiskenbare glans van de waarheid: 'Mijn vrouw slikt kalmeringsmiddelen', 'Ze is erg verlegen', 'Haar vader heeft een hartaanval gehad' en 'Ik kan niet weg vanwege de kinderen'. En die rode fluwelen bustier, waar de martelgang van die arme Brianna door was ontstaan.

Mark moet wel Brianna's GM zijn! Ze moeten elkaar op het werk hebben leren kennen, toen Brianna advocatenassistente was op het kantoor van de rechterhand van de openbaar aanklager van Manhattan. Ik had die link nooit gelegd, maar ze hebben tegelijk in hetzelfde gebouw gewerkt. Bovendien heeft Brianna me verteld dat haar minnaar een advocaat zonder enig sociaal geweten was.

Als mijn vermoeden klopt, durf ik te wedden dat Mark de relatie niet alleen heeft verbroken vanwege de zwangerschap, maar ook omdat Lara de afgelopen maanden anders met zijn seksfantasieën omgaat. Brianna moet er behoorlijk tam hebben uitgezien vergeleken bij een schitterende Lara in fluweel en sabelbont. Welke man wil er nu een minnares die op seksueel vlak gereserveerder is dan zijn eigen vrouw?

Wat nu? Moet ik Brianna bellen en vertellen wat ik heb ontdekt? Moet ik de confrontatie met Mark aangaan? Of moet ik het tegen Lara zeggen? Dat laatste valt af. Ik ben niet van plan het geheim van Mark en Brianna aan Lara te onthullen. Dat kan ik niet maken tegenover Brianna omdat we vriendinnen zijn en niet tegenover Mark omdat ik het hem eigenlijk niet kwalijk kan nemen dat hij er minnaressen op na houdt als hij thuis zo'n tuttige satansdochter met een strakke buik op de bank heeft zitten. Wat ironisch! Ik vond Brianna de domste minnares ter wereld omdat ze leugentjes als 'Mijn vrouw begrijpt me niet' zomaar pikte. Nu blijken al die smoesjes stuk voor stuk waar te zijn!

Tom roept al jaren dat Marks bezeten jacht op straatarme stumpers met twee gram crack op zak totaal niet bij hem past. Toen hij rechten studeerde aan de universiteit van New York, hield hij zich in de Human Rights' Clinic zeer actief bezig met mensenrechten. Zijn metamorfose tot keiharde rechterhand van de openbaar aanklager vond pas plaats nadat hij met Lara was getrouwd. Vroeger droomde Mark ervan om terug te keren naar zijn geboortestad in een landelijk gedeelte van California, daar een eigen advocatenkantoor te beginnen en arme mensen juridische bijstand te verlenen, desnoods op basis van ruilhandel, maar daar wilde Lara niets van horen. Ze peinsde er niet over om uit Manhattan weg te gaan. Bovendien heeft ze bijzonder weinig medelijden met mensen die door drugs in de problemen zijn geraakt. ('Ze moeten gaan sporten. Daar word ik nou high van.') In de loop der jaren leek Mark haar voorbeeld te volgen, hoewel Tom altijd heeft beweerd dat het iets van zelfhaat had om te veranderen in de soort persoon die je zelf ooit verachtte.

Tom kan zeer scherpzinnig zijn als het om mensen gaat.

Tom. Tom. Ik heb al bijna drie uur niet aan hem gedacht. Heimelijk smul ik van de huwelijksproblemen van Lara en Mark. Ik voel me eerlijk gezegd nogal zelfvoldaan, want mijn echtgenoot rotzooit niet achter mijn rug om. Maar nu dringt het tot me door dat hij dat in bepaalde opzichten wél doet. Als je bedenkt hoe weinig tijd hij tegenwoordig voor me heeft en hoe weinig aandacht ik krijg, zou hij ook wel een verhouding kunnen hebben. Zijn werk komt op de eerste plaats, lijkt belangrijker dan de baby en ik.

25

Maandag, 3.00 uur

Ik ben doodmoe, maar ik kan niet slapen. Ik heb veel aan Tom en aan ons gesprek van vanmiddag gedacht. Misschien ben ik niet helemaal redelijk geweest. We wisten inderdaad dat we ons veel op de hals haalden toen we besloten een kind te nemen en ik heb altijd al geweten dat Tom ambitieus is. Dat was juist een van de dingen die ik leuk aan hem vond. Ik denk terug aan de dag waarop we elkaar vier jaar geleden voor het eerst ontmoetten, op een warme zondagmiddag aan het begin van de herfst. Het was zo'n middag die je nog lang bijblijft, waarop de hitte van de trottoirs opstijgt naar je knieën als een likkende leeuw, terwijl de wind door je haar blaast als de koude adem van een ijsbeer. Hij vertelde toen al dat hij partner wilde worden bij Crimpson. Hij probeert echt om 's avonds samen met mij te eten, ook als hij daarna nog terug moet naar kantoor. Hij geeft me alle tijd die hij heeft. Wat kan ik nog meer van hem verlangen?

Ik weet dat hij aldoor aan me denkt en zich zorgen over me maakt. Er komt een gespannen, strakke uitdrukking op zijn gezicht als hij ziet dat ik mezelf bezig probeer te houden met een laptop, een paar beduimelde tijdschriften en een bord eten. 'Ik wou dat ik het van je kon overnemen,' zei hij op een keer zacht en met verstikte stem tegen me. 'Ik wou dat ik de baby in jouw plaats kon dragen.' En hij probeert verrassingen te verzinnen om me op te vrolijken. Op een avond, toen het hem niet lukte om thuis te zijn voordat ik naar bed ging, liet hij een koerier een boeket gigantische Aziatische lelies bezorgen, tere witte en gouden sterren met felrode meeldraden. Een andere keer stuurde hij een doos brownies met een dikke laag chocolade erop. *Wie zoet is krijgt lekkers*, schreef hij in zijn onduidelijke advocatenhandschrift op het kaartje.

Mannen zoals hij zijn zeldzaam.

3.30 *uur*

Maar we moeten aan de praktische kant van de zaak denken. We krijgen een kind. Moet ik in mijn eentje voor de baby zorgen als die midden in de nacht huilend wakker wordt en Tom nog op zijn werk zit?

4.00 *uur*

Ik loop op de zaken vooruit. Er is een ideale praktische oplossing. In het begin heb ik zwangerschapsverlof. Het is dus logisch dat ik voor de baby zorg als hij nog heel klein is. Daarna regelen we overdag kinderopvang. Tegen de tijd dat ik weer moet gaan werken hoort de baby 's nachts door te slapen. Niets aan de hand dus.

Het zal een kwestie zijn van compromissen sluiten, van Toms behoeften afwegen tegen de mijne. (Dat lees je toch in tijdschriften en hoor je toch in talkshows? Compromissen sluiten en communiceren, dan komt alles goed.) Ik zal tegen Tom zeggen dat hij 's avonds tegelijk met onze zoon moet eten en dat hij daarna zijn gang kan gaan.

4.15 uur

Wie houd ik nou voor de gek? Volgens mijn vriendinnen is een nacht doorslapen voor ouders zoiets als de heilige graal. Het kind is misschien al een jaar voordat ik weer eens een lange nacht kan maken. Tenzij Tom minder gaat werken en ook een aantal nachtdiensten voor zijn rekening neemt als ik weer bij Schuster begin. Op een ochtend zal ik op weg naar kantoor uitgeput onder een veegwagen lopen en dan is het afgelopen.

Dat avondeten wordt alleen wat als ons kind het prettig vindt om rond middernacht pas zijn spaghetti te eten. Tom zegt wel dat hij over een halfuur thuis zal zijn, maar dan komt hij Phil, Ed of Ian tegen en ben je zo drie uur verder. Dat is de realiteit van ons leven. Bovendien zie ik mezelf geen partner worden als ik voor negentig procent opdraai voor de verzorging van ons kind. Bij Schuster is het niet zo'n gekkenhuis als bij Crimpson – minder dynamisch en minder elitair – maar als je echt minder wilt gaan werken, als je op het 'mammiespoor' belandt, zoals Brianna dat Fay eens vol minachting heeft horen noemen, krijg je om onverklaarbare reden de saaiste en meest ingewikkelde zaken toegeschoven. Als ik carrière wil maken bij Schuster, als ik echt voldoening van mijn werk wil hebben, zal ik bijna even hard moeten werken als voordat ik bedrust ging houden.

Er is op mijn werk maar één vrouwelijke partner met kinderen en die heeft fulltime een kindermeisje in dienst. Haar kinderen zelf naar voetbal brengen? Geen sprake van, ze bestelt wel een taxi.

4.30 uur

Het punt is dat we allebei niet het juiste soort leven hebben voor het ouderschap. We hebben geen tijd om een kind op te voeden. Hoe kwamen we daar in vredesnaam bij? Waarom hebben we ons dit op de hals gehaald? Waren we bang gemaakt door dat lange, enge artikel over de gevolgen van een zwangerschap uitstellen dat Toms moeder had opgestuurd? Kwam het doordat ik telkens een brok in mijn keel kreeg als ik langs een babywinkel liep? (Ach, kijk nou, die piepkleine kleertjes!) Of was het dat vage gevoel dat het tijd wordt als je getrouwd bent en de dertig nadert?

Nu vind ik dat we hadden moeten wachten. Als je kijkt naar ons leven, onze verplichtingen en onze ambities, hoe kunnen we dan een kind opvoeden?

26

Het is vandaag een stralende, zonnige dag. Het is onbewolkt en de lucht is helder en strakblauw. Ik lig hier naar de wereld te kijken door driedubbeldik glas. Je zou bijna denken dat het zomer is, totdat je de dunne, kale bomen langs de straat en het bleke zonnetje ziet, de voetgangers die warm zijn ingepakt in bontjassen en donsjacks. Toch hangt er vandaag iets van voorjaar in de lucht. Het blauw is donkerder en intenser dan toen ik vorige maand, in februari, plat moest gaan liggen.

Een verpleegkundige, een zekere Jamala, heeft me zojuist verteld dat de artsen hebben besloten me toch naar huis te sturen, omdat er de afgelopen vierentwintig uur geen forse dips in de hartslag zijn geweest. De rest van de zwangerschap zal ik in de gaten worden gehouden als een patiënt die niet in het ziekenhuis verblijft.

Ik weet niet of ik opgelucht ben of niet. Ik ben nog steeds bang dat er iets mis zal gaan en dat ik dat niet zal merken. Daar staat tegenover dat ik in het ziekenhuis het idee heb dat ik elk moment kan bevallen. Zolang ik hier een smal bed bezet houd, ben ik een probleem dat opgelost moet worden. Specialisten kijken me bedachtzaam aan, overleggen ieder uur of het al tijd is om de weeën op te wekken, de baby eruit te halen, in te grijpen. Toen ik een jaar of zes was, hadden we een poes die Mirror heette. Op een zekere dag in de zomer verdween ze 's ochtends vroeg. Een paar dagen later vond ik haar, opgekruld op een donkere plek in de garage met een nest miauwende lapjeskatjes onder haar opgezwollen roze buik. Ik voel me zoals Mirror zich toen moet hebben gevoeld. Ik wil niemand zien en een rustige plek zoeken om een nest te maken voor mijn kind.

Of dit nu het juiste moment is om een kind te krijgen of niet, de afgelopen paar dagen ben ik gaan beseffen hoe dolgraag ik deze baby wil. Ik wil hem vasthouden en zijn warme lijfje in mijn armen voelen.

Tijdens de lunch heb ik gelezen wat ik vannacht heb geschreven. Ik was behoorlijk opgewonden en had een strakke knoop in mijn maag van angst en teleurstelling. 'Dingen lijken altijd erger vlak voordat de dag aanbreekt.' Dat zei mijn moeder altijd tegen me als ik nog laat wakker was en niet kon slapen vanwege een hevige aanval van tienerangst. Maar dit was geen nachtelijke fantasie, geen verschrikking in het donker. Tom en ik moeten eens goed met elkaar praten als ik uit het ziekenhuis ben. We moeten de waarheid onder ogen zien: de kloof tussen ons wordt steeds groter.

16.00 uur

De baby schopt op het moment erg hard, alsof hij wil laten merken dat het goed met hem gaat. Hij heeft net lange tijd de hik gehad en dat is – zoals mijn nieuwe beste vriendin Jamala me met een geruststellende glimlach vertelde, terwijl ze mijn kussen met plastic sloop opschudde – een duidelijk teken van foetaal welzijn. Terwijl de dienstdoende arts mijn status aftekende, zei hij dat ze nog steeds denken dat de baby te vroeg zal komen, maar dat ze optimistischer zijn over zijn gezondheid. Ik voel me dus een stuk beter. Ik heb Jamala zelfs de monitor laten uitzetten. De stilte vult de kamer. Met de warmte van de zon erbij is het hier heel vreedzaam.

21.00 uur

Ik typ dit op mijn eigen bank met bloemetjespatroon. Ik lig onder mijn blauw-met-grijze deken in mijn gele zitkamer achter de voordeur van mijn eigen appartement. Het is onwaarschijnlijk dat ik de komende vijf weken buiten zal komen, maar ik ben in ieder geval thuis.

27

Dinsdag, 12.00 uur

Mevrouw Gianopoulou is vanmorgen op bezoek geweest en had als lunch een pikant worstje, een zelfgebakken brood en een salade van rode paprika's voor me meegebracht. De geur van vers brood hangt nog in het appartement terwijl ik dit typ en vermengt zich met de frisse zonnige lucht die via het open raam tegenover de bank naar binnen stroomt.

Zodra mevrouw G. over de drempel stapte, dacht ik aan de brief voor Randalls over het appartementencomplex aan de overkant. Shit. Door het gedoe van het afgelopen weekend ben ik helemaal vergeten die te schrijven. Mevrouw G. wuifde mijn verontschuldigingen weg. 'Maak er alsjeblieft geen punt van,' zei ze. 'De baby gaat voor.' Ik heb beloofd deze middag wat op papier te zetten en we hebben afgesproken dat Alexis en zij morgenavond langskomen om de brief te lezen. Geweldig, dacht ik. Ik verheug me nu al op zijn bezoek. Ik hoop dat hij die strakke zwarte spijkerbroek weer aanheeft.

Brianna belde en verontschuldigde zich omdat ze niet bij me op bezoek was geweest in het ziekenhuis. Ik had me inderdaad afgevraagd wat er aan de hand was, want normaal gesproken is ze heel trouw. Haar grootmoeder blijkt ziek te zijn en ze is de afgelopen drie dagen bij de oude dame in Westchester Country geweest. Volgens mij heeft het haar goedgedaan even uit de stad te zijn. Ze klinkt veel kalmer en evenwichtiger over Mark, of de GM, zoals we hem blijven noemen. (Ik heb nog niemand zijn ware identiteit onthuld.) Misschien doet Brianna onverschillig over de verbroken relatie met Mark omdat ze inmiddels iets voor Alexis voelt. Ze vroeg terloops hoe vaak 'die ongelofelijk lekkere buurman' op bezoek kwam. 'Hij komt toevallig morgenavond naar een brief kijken die ik voor hem en zijn tante heb geschreven,' zei ik. 'Echt waar?' vroeg ze. 'Ja,' zei ik. 'Aha,' zei ze veelbetekenend.

Alison belde een halfuur geleden om te zeggen dat ze misschien komt logeren. Eerst zien dan geloven, want daarna zei ze dat Gregory waarschijnlijk promotie krijgt en dat hij in het gevlij probeert te komen bij zijn baas. Over een paar weken gaan ze een weekend golfen met Alan en Sue, en Alison geeft dit weekend een intiem dineetje voor hen in het appartement in Pimlico. De catering zal verzorgd worden door Fortnum & Mason. Ze zal haar pogingen om Alan Atkins voor zich te winnen, die altijd opschept dat hij via zijn vrouw familie is van een hertog, binnenkort heus nog niet staken. Ik heb hem een keer ontmoet op een tentoonstelling van Alison en ik vond hem weerzinwekkend. Het is echt zo'n Londense bankier: hij heeft op kostschool gezeten, is dik en hoogrood, en buigt te dicht naar voren als hij met jonge vrouwen praat. Sue lijkt ook uit het bekende hout gesneden: mager en hoekig, grijzende krullen, nerveus en met een onverklaarbare voorliefde voor Laura Ashley – wat typerend is voor de middenklasse – die ondanks de overgang naar echte rijkdom is gebleven. Greg ligt op schema om over twintig jaar zo iemand als Alan te zijn geworden, maar gelukkig is het onwaarschijnlijk dat Alison in Sue zal veranderen. Ik vraag me af wat dat zegt over hun kansen op een gelukkig huwelijk.

15.00 uur

Fay is geweest! De wonderen zijn de wereld nog niet uit. Ze had vrij genomen om tussen de middag langs te komen en ze bracht – en dat vond ik voor haar doen heel vindingrijk – een zuurdesembrood en drie potten ambachtelijke jam mee, die ze bij Balducci had gekocht. (*De familie Honoré Saint-Juste maakt al zes generaties jam van de allerhoogste kwaliteit. Iedere bes wordt persoonlijk geïnspecteerd door Hubert Honoré Saint-Juste, de laatste telg uit het geslacht Haute Provences Saint-Juste.*) Ik heb de halve pot zwartekersenjam al op en de pot met honing en hazelnoten is ook al halfleeg.

Het meest opmerkelijke aan dit opzienbarende bezoek was dat Fay – de gereserveerde, gesloten Fay – enkele romantische ontboezemingen deed. Haar ex-vriendin Julia woont sinds kort weer in New York na enkele jaren als cameravrouw aan een comedy in Los Angeles te hebben meegewerkt. Ze gaat er duidelijk van uit dat hun liefde weer zal opbloeien. Fay gaf in een verbijsterende vlaag van openhartigheid toe dat het haar bijna twee jaar had gekost om over de scheiding heen te komen. Ze heeft dan ook geen haast om zich weer in de armen te storten van een vrouw die, hoe aantrekkelijk ook, er geen geheim van maakt meteen terug te gaan naar Los Angeles als ze daar een baan aangeboden krijgt.

Het is vreemd dat mensen het gevoel hebben dat ze een vrouw die rust moet houden in vertrouwen kunnen nemen.

138

Brianna, Lara, Fay en zelfs tot op bepaalde hoogte mevrouw G. lijken het prettig te vinden een openhartig gesprek te voeren met een aan bed gekluisterde Q. Misschien denken ze dat ik niets beters te doen heb. Of associëren ze een zwangere vrouw in duistere afzondering met wijze vrouwen en mystieke zieners.

Toevallig voel ik me vandaag uitzonderlijk wijs. Halverwege Fays relaas over Julia's misstappen bedacht ik dat Paola, een schoolvriendin van Tom, kortgeleden haar relatie met haar vriendin heeft verbroken en dat ze perfect bij Fay zou passen. Ze houden allebei van opera. Tot vandaag wist ik dat niet van Fay, maar ze heeft zojuist verteld dat ze voor aanstaande zaterdag kaartjes heeft voor La Forze del Nog Wat in de Metropolitan Opera. Ze hebben allebei Perzische katten (jakkes) en ze zijn onlangs naar Peru geweest. Op de vensterbank staat een pot die Paola heeft opgestuurd en door een kunstenaar in de Andes is gebakken. Ik leidde Fays aandacht er dus behendig naartoe, liet terloops Paola's naam vallen en vertelde dat ze afgelopen zomer over het incaspoor naar Machu Picchu is getrokken. Fays ogen lichtten op. Ze wil dolgraag met iemand over de flora en fauna van het Amazonegebied praten, dat zie ik gewoon aan haar. Ik trok een passend raadselachtig gezicht en zei dat Paola volgende week of de week daarop waarschijnlijk een keer op bezoek komt. Misschien wordt het tijd om weer eens een feestje te geven. Ik zal dan als een koningin op mijn bank liggen. 'Geweldige feesten organiseren' en 'eenzame alleenstaande vrienden aan elkaar koppelen' zijn twee punten die ik ook nog niet heb afgevinkt op de lijst van dingen die een moderne vrouw gedaan moet hebben voor haar dertigste.

28

Woensdag, 8.30 uur

Ik werd om drie uur vannacht bezweet en in paniek wakker. Er was zojuist iets tot me doorgedrongen: over vijf weken krijg ik een kind. Niet over tien weken, zoals de meeste vrouwen, maar over vijf. Ik heb niet eens een wieg voor de baby en geen wipstoel en geen... Tja, wat moet je nog meer in huis hebben? Wat dragen ze bijvoorbeeld in bed? Ik heb geen idee. En hoe zit het met spelen? Hebben pasgeboren baby's echt van die afzichtelijke felgekleurde matten nodig waar de kinderen van mijn vriendinnen met uitgestrekte armen en benen op spartelen, alsof het op hun rug liggende kevers zijn? Ontzeg ik mijn kind zintuiglijke waarnemingen als ik op de dag dat ik ga bevallen de speelkubussen van Lamaze niet binnen handbereik heb?

Toen ik net wist dat ik zwanger was, vroegen verschillende mensen aan me of ik een *babyshower* wilde. Ik heb toen trots gezegd dat dat voor mij niet hoefde. 'Dat doen we niet in Engeland,' zei ik, waarbij ik een arrogant handgebaar maakte, zodat mijn Amerikaanse vrienden en collega's verder hun mond hielden. 'Dat is zo on-Engels.'

Misschien was dat een vergissing.

9.00 uur

Ik heb op internet een lijst gevonden met alles wat je als aanstaande ouder nodig hebt. De noodzakelijke dingen zijn in categorieën verdeeld. Ik kan me amper herinneren welke groepen dat ook alweer waren, laat staan dat ik de details nog weet. Waar het om gaat is dat we uit geen enkele categorie ook maar iets in huis hebben. Helemaal niets. Nada. Noppes. Tijd om in actie te komen! Ik mag de deur niet uit om te gaan winkelen, maar gelukkig leven we in de eenentwintigste eeuw, in een heerlijke nieuwe wereld. Ik heb een computer, meer heb ik niet nodig. Ik kan spullen via internet kopen en thuis laten bezorgen. Binnenkort ben ik, in materieel opzicht althans, voorbereid op het moederschap.

10.00 uur

Als dit een andere fase in mijn leven was, zou ik nu verbijsterd zijn, perplex staan van de verschillen tussen een mandenwieg, een draagmand, een hangmat, een gewone wieg en een ledikantje. Dat de meeste dingen in Engeland anders heten, maakt het er ook niet gemakkelijker op. Ik zou in paniek zijn geraakt van de verschillende soorten matrassen en van de noodzaak de juiste te kiezen, omdat ik het schrikbeeld van wiegendood moet voorkomen. Het is verwarrend dat er allerlei typen wandelwagens te koop zijn, en dan heb ik het nog niet eens over het feit dat je moet kiezen tussen vergrendelde of onvergrendelde voorwielen, of tussen een drie- of een vijfpuntsgordel. Maar op het moment heb ik daar allemaal geen tijd voor en daarom reageer ik kalm en zelfverzekerd op de ontstellend lange lijst.

Ik ga dit stap voor stap doen, waarbij ik me per dag met één groep zal bezighouden. Vandaag zijn dat luiers. Hier zeggen ze *diapers*, maar in Engeland noemen we ze *nappies*, wat veel vriendelijker klinkt. Het Engelse woord roept een beeld op van zachte, bobbelige witte jersey. Bij het Amerikaanse woord denk ik eerder aan gereedschap. Veel babyspullen zijn optioneel, maar luiers zijn onmisbaar. Dat lijkt me dus een goede categorie om mee te beginnen.

13.00 uur

Luiers kopen is lastiger dan je denkt.

Ik had al een uur commodes van verschillende leveranciers bekeken, toen ik erachter kwam dat je gewoon een ladekast kunt kopen waar je een aankleedkussen bovenop legt. Dat lijkt me een goed idee, zeker in een klein appartement in de Upper East Side van New York. Het uur daarna heb ik dus naar ladekasten en aankleedkussens gezocht. Toen ontdekte ik dat er ook drie-in-een meubels zijn. Inmiddels zoek ik dus niet alleen naar ladekasten en aankleedkussens, maar ook naar ledikantjes. Van de indeling in categorieën is niets meer over. Ik verdiep me nu al in spullen waar ik pas vrijdag of zaterdag aan toe zou komen en het is pas woensdag. Ik ben helemaal opgefokt, want bedjes moeten aan allerlei veiligheidseisen voldoen en ik betwijfel of de alles-in-een bedjes wel even veilig zijn als de losse ledikantjes. En dan te bedenken dat ik vandaag alleen een groot pak Huggies en een tube zinkzalf wilde kopen!

Ik had gedacht dat een voordeelpak Huggies bestellen zo gebeurd zou zijn, maar dat is niet zo. Die zijn er namelijk in verschillende maten en kwaliteiten, en moeten het trouwens per se Huggies zijn? Word ik overgehaald om een duur merk te kopen terwijl huismerken net zo goed zijn? En dan die zinkzalf: wil ik een zalf die de beschadigde huid herstelt of wil ik er een die luieruitslag voorkomt? Bovendien heb ik een website gevonden waar je twee tubes voor de prijs van een krijgt. Wil ik er twee en zal ik dan ook gelijk een tube lanolinezalf tegen tepelkloven bestellen? De categorie borstvoeding staat pas voor maandag op het programma. Ik heb geen flauw benul wat lanoline is en of ik dat nodig heb. Ik ben afgepeigerd. Vroeger betekende je voorbereiden op de komst van een kind dat je wat katoenen luiers naaide en de familiewieg van zolder haalde. Wat is het leven tegenwoordig toch ingewikkeld! Met dit tempo ben ik amper klaar als mijn zoon wordt geboren. Maar goed dat ik volledig rust moet houden.

29

Donderdag, 19.00 uur

Vervolg luiers

- Eén pak luiers voor pasgeborenen, één pak luiers voor daarna ✓
- Eén luieremmer ✓
- Vier speciale afvalzakken voor in de luieremmer ✓
- Vier pakken ongeparfumeerde billendoekjes ✓
- Twee tubes met vitamine A en D verrijkte huidlotion ✓
- Eén tube zalf tegen rode billetjes ✓
- Eén aankleedkussen met opstaande randen ✓
- Vier hoezen voor het aankleedkussen (marineblauw, stretch, badstof) ✓
- Eén commode/kast met canvas laden ✓

TOTALE KOSTEN: $ 304,98

30

Alexis en mevrouw G. zijn zojuist hier geweest om de brief te lezen die ik aan Randalls heb geschreven. Ik baad in de warme gloed van hun dankbaarheid. Ik mag dan amper toegerust zijn voor het moederschap, maar ik kan wel een brief schrijven waar Dzjenghis Khan het benauwd van krijgt. Alexis glimlachte bewonderend naar me vanonder zijn goudblonde sluike pony. Mevrouw G. keek me met moederlijke trots aan. Ik weet niet waar ik blijer mee was.

Brianna kwam niet opdagen. Dat verbaasde me. Zou ze een terugval hebben gehad en weer aan Mark denken? Laten we hopen van niet. Ze is gek als ze Alexis laat schieten. Hij mag dan een paar centimeter korter zijn dan ik, maar als ik geen getrouwde zwangere vrouw was, zou ik nu in de zon gerijpte aardbeien uit zijn navel eten.

31

Maandag, 9.00 uur

Ik heb net op de website van de koeriersdienst gekeken hoe het met mijn bestellingen staat. Als het goed is, ben ik woensdagmiddag in het bezit van:

- Eén mandenwieg met een 'rustgevende trilstand' en een draaiend muziekmobiel ✓
- Eén ledikantje plus vier katoenen lakentjes, één stootrand met kermistafereel en drie bijpassende dekentjes ✓
- Eén voedingsstoel ✓
- Eén bijpassend voetenbankje ✓ (dat kostte vijfenveertig dollar extra, maar dat kan me niets schelen)
- Eén commode/kast ✓

De luiers en aanverwante artikelen worden waarschijnlijk morgenochtend al bezorgd.

Ik begin mijn leven weer onder controle te krijgen.

Ik heb gisteravond wat vrienden opgebeld en hen uitgenodigd voor een feest aanstaande vrijdagavond. Aan hun reactie merkte ik dat mensen verbaasd waren dat ik belde.

'Echt waar? Dus je mag weer op? Ik heb je niet gebeld, omdat ik dacht dat je uit de roulatie was.' Dat zei Patty, ook een geëmigreerde Britse, met wie ik altijd naar de sportschool ging. Ze is een nichtje van een van mijn beste vrienden van de universiteit en is een jaar of twee geleden hier komen wonen om voor een uitgeverij te gaan werken.

Ik legde met een wat kille klank in mijn stem uit dat ik nog niet op mocht, maar dat mijn lichamelijke toestand me er niet van weerhield mensen in mijn appartement te ontvangen. 'Het leven blijkt echt ongelofelijk saai te zijn als je vierentwintig uur per dag op je linkerzij moet liggen. Wat gezelschap zou prettig zijn. Dit weekend. Vrijdag om acht uur.'

'O, eh... ja,' zei Patty. 'Goed, ik zal er zijn.'

Bijna iedereen die ik belde, beloofde te komen nadat ik in het kort had uitgelegd hoe eenzaam je je voelt als je bedrust moet houden. Iemand een schuldgevoel aanpraten, komt soms van pas. (Mijn moeder heeft me goed afgericht.)

Paola komt uit New Jersey en zal bij een vriendin blijven logeren. Fay heeft beloofd een paar uur vrij te nemen om naar het feest te komen, dus dat plannetje moet lukken. Ik zal ervoor zorgen dat ze tegelijk in dezelfde kamer zijn en dan maak ik wat terloopse opmerkingen over de mysteriën van het incarijk. Zondag liggen ze samen in bed, let op mijn woorden. Als ik dan toch voor Cupido speel, kan ik Brianna aan die adembenemende Alexis koppelen. Er is echter één probleem: Tom wil Mark en Lara uitnodigen. ('Als ik een feest geef, kan ik het niet maken om Mark niet te vragen. Dat weet je, Q.') Aanvankelijk stribbelde ik tegen, maar toen bedacht ik me dat Brianna bij het zien van Mark en Lara misschien eerder geneigd zou zijn om op Alexis af te stappen. Ze zal dolgraag willen bewijzen dat ze best zonder hem kan. Het zit er dan ook dik in dat ze zich in de armen van de eerste de beste bereidwillige man zal storten. Sinds de eerste keer dat ik naar de disco ging, in de Little Stonham Village Hall in 1985, heb ik me niet meer zo verheugd op een feest.

10.00 uur

Er komt nog iemand op het feest, iemand die ik totaal niet had verwacht. Alison heeft namelijk net weer gebeld.

'Q, ik had gezegd dat ik je zou komen helpen nu je rust moet houden en belofte maakt schuld,' zei ze met zo veel zelf-opoffering dat ik woedend werd. 'Natuurlijk zullen de kinderen en Gregory me missen. Ik zal niet naar een receptie voor "vrouwelijke beeldhoudsters van het leven" kunnen die door de kunstraad wordt georganiseerd, maar mijn zus gaat voor. Ik heb net een vliegticket naar New York geboekt, Q. Ik land vrijdag om twaalf uur.'

Ze was verbijsterd toen ze over het feest hoorde en liet doorschemeren dat ik iedereen moest afbellen, maar ze bond in toen ik haar voorhield hoe zij zich zou voelen als ze haar eerste sociale afspraak in vierenhalve week moest afzeggen. 'Nee, Q, dat is leuk voor je,' zei ze uiteindelijk met opeenge-klemde kaken. 'Ik kijk er erg naar uit om, eh… Mike en Laura en, eh… Bryony te ontmoeten en al je andere vrienden in New York. Het zal geweldig zijn. Ik ben blij om te horen dat je de sociale contacten nog aanhoudt,' voegde ze er met onmisken-bare ergernis in haar stem aan toe. 'Ik dacht dat je je zou ver-velen en eenzaam zou zijn in een vreemd land. Blijkbaar niet dus.'

Ik besloot bij Alison niet aan te komen met mijn verhaal over eenzaamheid. Het leek me beter haar in de waan te laten dat het sociale leven van New York min of meer om mij draait. Ik kletste onbeschaamd over Fay en Julia, de cameravrouw uit Los Angeles, om de indruk te wekken dat mijn leven op een aflevering van *Sex and the City* lijkt, al was dat waarschijnlijk een vergissing, want ze ziet vrijdag met eigen ogen dat onze vrienden in werkelijkheid sufferds zijn. Ik heb Fay – een kleine workaholic met platvoeten en ronde schouders – afgeschilderd als een verleidelijke lesbienne met lippenstift van wie zelfs heterovrouwen in vervoering raken. Van Brianna, die arme slome Brianna, heb ik (ik raakte steeds meer op dreef) een Sirene gemaakt zoals die door Homerus wordt beschreven. Het zou mijn verdiende loon zijn als Alison voor de verandering naar me geluisterd heeft.

Niet te geloven dat ze hierheen komt. Wat steekt daar eigenlijk achter? Wil ze zichzelf en anderen voorhouden dat ze heel ruimhartig is? Zo iemand die alles uit haar handen laat vallen en de halve wereld oversteekt om een zus in nood te helpen? Of doet ze het om me eraan te herinneren dat ze een veel betere moeder is? 'Mijn kinderen kwamen moeiteloos ter wereld, Q. Ik snap niet waarom jij er zo'n moeite mee hebt. Misschien heb je er niet de juiste bouw voor. Ha, ha, ha.'

32

Mijn eerste herinnering aan Alison is van de dag dat mijn moeder met haar uit het ziekenhuis kwam. Ik was pas tweeënhalf, maar ik weet nog dat ik vol ongeloof naar haar gedeukte gezichtje, donkere ogen en lelijke paarse opgezwollen handjes keek. Mijn moeder keek me aan over Alisons ongelofelijk kleine lichaam en zei dat ik geen baby meer was. Van nu af aan was het mijn taak haar te helpen de nieuwe baby te verzorgen. ('Op je vader hoef ik niet te rekenen, schat.') Ik concludeerde terecht dat mijn jeugd voorbij was. Die had niet lang geduurd.

Mijn therapeut vroeg of ik voor een van de sessies een foto van Alison wilde meenemen. Ik koos een vakantiekiekje uit 1979 of zo van een zomer in Bretagne. We staan op het strand met onze armen om elkaars middel geslagen en dragen hetzelfde paarse badpak met gouden ringen bij het sleutelbeen. Jeanie zit op de grond bij onze voeten en speelt afwezig met roze teenslippers. Mijn moeder is net niet in beeld, maar je ziet haar lange schaduw op het zand in de late middagzon. Mijn vader heeft de foto genomen. Rechtsboven zie je een vage vlek, doordat hij zijn wijsvinger voor de lens had gehouden.

De therapeut vroeg waarom ik juist deze foto had meegebracht. Ik zei dat ik dat had gedaan omdat Alison er fantastisch uitzag in dat zwempak en ik niet. Ik vertelde hem dat ik boos was op mijn moeder omdat we hetzelfde badpak aan moesten. Ze had namelijk geen zin om te wachten terwijl ik een ander badpak paste, al deed ze alsof dit een les was om mijn karakter te vormen. 'Het verbaast me dat jij je zo druk maakt over je uiterlijk. Daar worden vrouwen al generaties lang op afgerekend. We moeten er tegenwoordig naar streven op onze intelligentie beoordeeld te worden, om wat we op professioneel gebied hebben bereikt.' 'Prima,' zei ik. 'Dat doe ik wel over een jaar of vijftien. Mag ik dan nu dat rode badpak met die strokenrok en die witte stippeltjes?'

Dat was niet de volledige waarheid. Ik had geen zin om tegen de therapeut te zeggen dat Alison keihard met haar rechterduim en wijsvinger in mijn middel had geknepen. Het was immers zijn taak dat op te merken. 'Ga eens wat dichter bij elkaar staan,' had mijn vader gezegd. 'Dan kan ik een leuke foto van jullie drieën maken.' Alison en ik keken elkaar met heimelijke afkeer aan, maar schuifelden gehoorzaam opzij. We deden meestal wat mijn vader zei. Ik heb geen idee waarom, misschien hadden we medelijden met hem. Ik voelde dat Alison haar arm om mijn middel sloeg en ik deed hetzelfde bij haar. Toen voelde ik dat ze opzettelijk een huidplooi boven mijn heup vastpakte en erin kneep. Dat deed erg zeer. Zodra de foto was genomen, gaf ik haar een klap. Voor straf kreeg ik twee weken geen zakgeld. Daardoor kon ik de gestreepte Bretonse trui niet kopen die ik dolgraag wilde hebben en ook niet de pastelstiften in alle kleuren van de regenboog die in een houten doos zaten. Dat incident had dus grote gevolgen.

Die foto staat op de boekenkast en tot nu toe is Tom de enige geweest die Alisons boosaardigheid heeft opgemerkt. Dat is een van de redenen waarom ik met hem ben getrouwd. Op een dag pakte hij de foto, keek ernaar met een steeds dieper wordende frons op zijn voorhoofd en zei: 'Ze heeft je flink te pakken, hè? Dat kleine kreng!' De therapeut wierp slechts een vluchtige blik op de foto en zei iets in de trant van dat ik er leuk uitzag in dat gehate badpak. Daarna ben ik niet meer naar hem toe geweest.

33

Ik herinner me dat ik voor een collegeblok feminisme aan de universitcit eens een boek heb gelezen waarin werd uitgelegd waarom vrouwen veel meer met andere vrouwen optrekken dan mannen met andere mannen. Volgens de auteur kwam dat doordat in de meeste westerse samenlevingen kinderen door hun moeder worden opgevoed. Moeders vinden meestal dat hun dochters op hen lijken, maar hun zoons niet. Jongens groeien dus op met het idee dat ze anders en autonoom zijn, terwijl meisjes denken dat ze eender zijn en zich verbonden en afhankelijk voelen. Deze dynamiek, die al op jonge leeftijd tussen ouders en kinderen ontstaat, kleurt in ons verdere leven de relatie met vrienden, geliefden en familieleden.

Mijn moeder vond niet dat ik op haar leek. Eigenlijk wou ik dat dat wel zo was geweest. Het grootste deel van mijn jeugd liet ze overduidelijk merken dat ik anders was. 'Toen ik zo oud was als jij,' zei ze dan, 'was ik een trendsetter, geen trendvolger. De meisjes op school keken naar me op. Ze wilden zijn zoals ik. Wat heb je toch?'

Ondertussen werd Alison tijdens de grootste aardverschuiving die onze school ooit had gekend tot voorzitster van de leerlingenraad gekozen. Enkele semesters nadat ze in Oxford was gearriveerd, was ze alom bekend vanwege haar sexappeal. Mijn moeder zal wel de enige ouder zijn geweest die het heimelijk toejuichte dat haar dochter rookte. Ze vond Alison er erg hip uitzien in haar zwarte coltruien, terwijl de rook van een gloeiende Camel-sigaret tussen haar lange wimpers door naar haar verwarde asblonde haar kringelde. Ik hoorde hen een keer over paddo's praten. 'Als je ermee stopt voordat je halverwege de twintig bent of voordat je kinderen krijgt, zie ik er geen kwaad in,' zei mijn moeder ernstig. 'Jong zijn duurt maar even. Grijp je kansen zolang het nog kan. Ik wou dat ik dat zelf had gedaan.'

Alison mag dan jonger zijn dan ik, maar ze heeft de achterstand snel ingelopen. Ze heeft de meeste punten op de lijst van dingen die een moderne vrouw gedaan moet hebben voor haar dertigste al afgevinkt en ze is pas zesentwintig.

34

Vrijdag, 19.00 uur

Over een uur begint mijn feest. De mensen van de catering zijn in de zitkamer bezig. Mijn zus ligt te slapen in de logeerkamer. Ze is een uur geleden, hip en zelfverzekerd, gearriveerd, iets wat ik niet kan uitstaan. Als ik uit een vliegtuig stap, heb ik een sluike scheiding in het midden, bloeddoorlopen ogen en een droge schilferende huid. Alison is iemand die voor zichzelf een elegant make-uptasje inpakt dat het oog van een ekster in verrukking zou brengen: een hemelsblauw spuitflesje met water, een lichtroze pot lippenzalf die naar rabarber smaakt en een regenboogkleurige tube met vochtinbrengende crème met mango- en guave-extracten.

Tom, die wonder boven wonder eerder uit zijn werk was gekomen om de voorbereidingen voor het feest in goede banen te leiden, bracht haar de zitkamer binnen. Ze gaf me een zoen op mijn wang, schopte haar Italiaanse leren schoenen met platte hak uit en ging in kleermakerszit naast de bank op de grond zitten. 'Hoe was je reis?' vroeg ik, op een manier waaruit bleek dat het antwoord me totaal niet interesseerde.

Alison keek vanuit haar ooghoek naar mijn chagrijnige gezicht, deed even niets en toverde toen haar allercharmantste glimlach tevoorschijn. 'Q, wees eens aardig tegen me,' zei ze, terwijl ze met haar gemanicuurde vingers – dat moest een fortuin hebben gekost – over mijn handen wreef. 'Ik ben blij dat ik hier ben en dat je er zo goed uitziet. Laten we ons best doen om aardig tegen elkaar te doen. Goed?'

Typisch Alison, die wil altijd de goede fee zijn.

'Ik begrijp niet wat je bedoelt,' zei ik. 'Ik vroeg alleen hoe je reis was.'

Voorsprong Q.

Alison liet haar subtiele lachje horen, het nieuwe lachje dat ze heeft ontwikkeld sinds ze met de hooggeboren Gregory Farquhar is getrouwd en een dame van stand is geworden. 'Ach, Q. Het is bij jou ook altijd hetzelfde liedje en daarom houden we ook van je,' zei ze, met een ongelofelijk irritante, neerbuigende toegeeflijkheid. 'Je zus is de halve wereld over gereisd om je op te zoeken en nog ben je nors. Zo is het toch? Kom op, lieverd. Hopelijk zullen een paar cadeautjes je opvrolijken. Dit is een kleinigheidje van Gregory en mij, en dit is van mama.' Ze overhandigde me twee cadeautjes. Om het ene zat dik cadeaupapier met opvallende patronen. Het andere zat in een verkreukelde bruine papieren tas. Uit het eerste pakje kwam een make-uptasje van Kate Spade en uit het tweede een kussen dat gevuld was met tarwekiemen en lavendel. Ik hoefde niet te vragen van wie ik wat had gekregen.

'O, van Kate Spade,' zei ik luchtig. 'Ja, dit is een van haar fraaiere ontwerpen. Wel erg jaren negentig, vind je niet? Maar dit tasje is prachtig, echt heel mooi,' voegde ik er hypocriet aan toe. Ik wilde haar laten merken dat ik me heus wel designaccessoires kan veroorloven.

Alison knipperde een paar keer vlug met haar ogen. 'Als je het niet leuk vindt, hoef je het niet te houden, hoor,' zei ze. Ik hoorde duidelijk aan haar stem dat ze zich gekrenkt voelde. Raak! In de roos! 'Ik wilde iets moois voor je kopen, Q. Ik weet hoe frustrerend het is als mensen je kleren geven die op tenten lijken of dingen die je minstens een jaar niet kunt dragen. Een make-uptasje leek me een aardig alternatief.' Ze zweeg even en snoof zielig.

Ik keek naar haar mooie, rood aangelopen, afgewende gezicht en walgde van mezelf. Ik weet wanneer iemand me overtroeft. Ik gaf me gewonnen. 'Het idee was heel leuk,' zei ik met tegenzin. 'Veel beter dan dit belachelijke, met tarwekiemen gevulde kussen. Denkt mama soms dat ik een drachtige woestijnrat ben of zo?' zei ik om haar aan het lachen te maken, al moet ik bekennen dat het minder goed lukte dan ik had gehoopt. Alisons gezicht klaarde meteen op en ze giechelde plichtsgetrouw, zeker van haar overwinning. 'Dat is beter, Q,' zei ze, waarbij ze een hooghartig klopje op mijn knie gaf. 'Stukken beter.' Ik glimlachte strak naar haar en verschoof mijn knie drie millimeter naar links.

Nu ligt ze in de kamer hiernaast te slapen en ik vraag me af hoe ik deze avond, laat staan de hele volgende week, door moet komen. Ik ben doodop. Alisons aanwezigheid vreet energie en ik heb een gruwelijke hekel aan feestjes geven. Waarom ben ik hieraan begonnen? Ik vind het vreselijk om het gevoel te hebben dat ik verantwoordelijk ben voor het plezier van anderen.

35

Zaterdag, 17.00 uur

Het feest was een hele happening. Mijn fouten waren talrijk en gevarieerd. Hier komen in willekeurige volgorde de eerste drie die me te binnen schieten:

1 Paola was totaal niet geïnteresseerd in Fay, maar met Alison klikte het meteen. Ze raakten diep in gesprek over kunst met een grote K. Om een uur of tien, toen Alison en Paola al bijna twee uur onafgebroken over de finalisten voor de Turnerprijs van vorig jaar hadden gesproken, heb ik Tom gedwongen om Fay te halen en haar bij het gesprek te betrekken. Paola en Fay spraken hooguit zeven minuten met elkaar. Tegen die tijd had Fay door dat ze het vijfde wiel aan de wagen was en verontschuldigde ze zich. Ze ging in een hoekje zitten, waar ze een kwartier lang zielig en eenzaam voor zich uit staarde. Toen vertrok ze zonder gedag te zeggen. Paola en Alison namen ondertussen afscheid met beloftes van eeuwige vriendschap.
2 Brianna en Alexis hebben elkaar niet ontmoet, want Brianna vertrok vijf minuten voordat Alexis arriveerde.

Ze ging weg omdat ze het duidelijk niet aankon om in hetzelfde vertrek te zijn als Mark. Zodra hij binnenkwam met Lara aan zijn arm, kreeg ze een ziekelijke kleur, verstopte zich tien minuten in de wc en ging er daarna als een haas vandoor, waarbij ze de onmiskenbare stank van braaksel achterliet. Ik had het gevoel dat ik zojuist een nest moederloze kittens had gedood.

3   Alison zei tijdens het ontbijt, met een twinkeling in haar ogen die ondanks de jetlag niet was gedoofd: 'Tjonge, Q, afgaande op je verhalen, dacht ik dat je vrienden allemaal erg, eh… ontaard zouden zijn, om maar niet te zeggen volkomen bandeloos. Maar ze zijn eigenlijk best tam, hè? De helft dronk niet eens! Je moest eens weten hoeveel alcohol Gregory's vrienden achteroverslaan tijdens onze intieme diners en wat een gekke dingen ze dan doen.'

Ik vrees dat ze gelijk had. Mijn feest was oersaai. Ik ben geen geweldige victoriaanse gastvrouw, geen lady Ottoline Morrell. Ik kan niet opscheppen dat ik extravagante beschermheren heb gekoppeld aan dichters die bijna omkwamen van de honger. Er zijn geen 'grote woorden' gezegd, opium was opvallend afwezig en ik denk haast niet dat iemand gisteravond na het verlaten van mijn huis zelfmoord heeft gepleegd. Ik weet niet of dat soort dingen wel gebeurden op de feestjes van lady Ottoline Morrell, maar ik betwijfel of ze ook zo beroemd zou zijn geworden als haar gasten zich onverstoorbaar door een paar zakken pretzels heen hadden gegeten en aantekeningen over hun amici curiae-nota's hadden vergeleken.

Tot slot, en rampzaliger dan alle eerdergenoemde missers, hebben Tom en ik vanochtend vroeg gigantisch ruzie gehad. Rond middernacht hees ik mezelf van de bank en ging ik, in mijn ogen wrijvend en op mijn buik wijzend als smoes, naar de slaapkamer. Twee uur later werd ik wakker van 'Bridge over Troubled Water' dat met een mond vol schuimende tandpasta ten beste werd gegeven. Te veel Lagavulin, dacht ik bij mezelf toen ik zag hoe Tom plechtig zijn tandenborstel in de wasmand liet vallen en zijn ondergoed in de pedaalemmer gooide. Het feest was saai, maar dat had mijn overwerkte echtgenoot er niet van weerhouden driekwart fles tweemaal gedistilleerde Schotse whisky op te drinken.

Hij stommelde een paar tellen later slaperig vanuit de badkamer de slaapkamer in en knipperde met zijn ogen in het donker. Ik steunde op mijn elleboog en schudde mijn hoofd.

'Je bent dronken,' zei ik streng.

Hij keek me aan. 'O, schat, daar ben je,' zei hij, met het Engelse accent dat hij zich wel vaker aanmeet als hij drie keer boven het promillage zit waarmee het wettelijk nog is toegestaan om te rijden. Vervolgens zei hij, tussen het hikken door en met een clownachtige grijns op zijn gezicht: 'Wat is er, baas?'

Mijn echtgenoot leeft in de waan dat zijn Engelse accent (a) goed en (b) charmant is, maar het is alleen maar ontzettend irritant.

'Kom in bed en ga slapen,' snauwde ik boos. Ik ging weer liggen en geeuwde demonstratief. 'Ik heb mijn slaap hard nodig.'

Tom kwam beteuterd naar me toe en ging op de rand van het bed zitten, terwijl hij me ernstig aankeek. 'Ben je kwaad op me? Waarom dan? Toe, wees nou niet boos…' Zijn stem stierf weg en met een tragische uitdrukking op zijn gezicht ging hij met zijn hand door zijn krullen. Ik kreeg medelijden met hem.

'Goed,' zei ik met een diepe zucht. Ik schoof op om hem meer ruimte onder het dekbed te geven. 'Ik ben niet boos. Kom in bed en vertel me over het feest. Wie heb je allemaal gesproken?' Hij glimlachte blij, sloeg het dekbed open, gebruikte zijn ellebogen om lekker te gaan liggen en trok mijn billen naar zich toe, zodat we lepeltje lepeltje lagen.

'Leuk feest, aardige mensen, Mark blij, geen idee of Lara dat ook was, Patty irritant…' Zijn stem stierf opnieuw weg en zijn ademhaling werd regelmatig. Ik dacht zelfs even dat hij in slaap was gevallen, maar toen…

'Die Alexis is een idioot,' zei hij plotseling.

Ik opende mijn ogen in het donker. 'Wat?' vroeg ik verbaasd.

'Alexis. Zo heet hij toch? Knappe vent, blond haar, sluike pony? Een idioot,' herhaalde hij plechtig. 'Volkomen gestoord.'

'Hoezo?' vroeg ik.

Hij kroop dichter tegen me aan. Ik voelde zijn adem, warm en rokerig, op mijn huid. 'Je zag er vanavond heel mooi uit, Q, bijna vorstelijk op je bank en je haar glanst tegenwoordig prachtig. Mmm, het ruikt ook lekker… Waar had ik het ook alweer over? O, ja, over Alexis. Hij vertelde dat het gebouw aan de overkant gesloopt gaat worden of zoiets. Je weet wel. Hij zei dat ze dat gaan tegenhouden. Dom. Dat gaat echt niet lukken. Oerstom,' zei hij, alsof de situatie net pas tot hem was doorgedrongen. 'Die oude mensen moeten maken dat ze wegkomen. Er staat veel geld op het spel. Vaste huur is een achterhaald concept. Dat heb ik hem duidelijk gemaakt. Ik heb gezegd dat hij niet weet waar hij het over heeft.' Ik verstijfde, maar Tom leek het niet te merken. Hij geeuwde uitgebreid en liet zijn hand zacht over mijn rechterborst glijden. 'Maar goed, ik heb hem verteld dat Randalls een groot bedrijf met veel connecties is dat goede juridische vertegenwoordigers heeft. Ze maken dus geen schijn van kans. Wat ik hem niet heb verteld,' zei hij grinnikend, 'is dat wij de belangen van Randalls behartigen als het om de nieuwbouw gaat. Hij denkt dat Smyth & Westlon dat doen, maar die doen alleen de ontruimingen. Phil heeft mij vorige week namelijk de portfolio over het nieuwbouwproject gegeven.'

Zijn vingers trokken lome cirkels rond mijn tepel. Ik haalde resoluut zijn hand weg en ging rechtop zitten.

'Wat?' vroeg ik. 'Wat heb je gedaan?'

Hij keek met slaperige ogen naar me op. 'Hè?' zei hij stompzinnig. 'Wat bedoel je?'

'Vertegenwoordig jij Randalls?' vroeg ik beschuldigend, neerkijkend op zijn gezicht dat doezelig was geworden door de drank en de duisternis.

'Ja,' antwoordde hij. 'Natuurlijk, we zijn het beste advocatenkantoor in de stad als het om onroerend goed gaat. Nou en?'

'Nou en? Verdorie, Tom, ik weet toevallig dat er bij Randalls grote smeerlappen zitten. Ze proberen oude mensen weg te krijgen die daar al, pak 'm beet, veertig jaar wonen. Vaste huur is misschien niet meer van deze tijd, maar deze mensen raken hun huis kwijt. Een hele gemeenschap wordt uit elkaar gerukt. Vind je dat grappig?'

Tom lachte namelijk. Hij lachte alsof ik iets ongelofelijk doms had gezegd. 'Lieverd, denk eens na. Randalls is een bedrijf. Ze willen bouwen en dat gaan ze ook doen. Waarom doe je daar zo moeilijk over? Dat is jouw probleem toch niet. Je kent die mensen amper.'

Ik keek op hem neer en was verontwaardigd, boos en verward. Ik deed mijn mond open om uit te leggen hoe het zat met mevrouw G. en haar vrienden, dat er van de gemeenschap niets overblijft als die mensen over alle uithoeken van de stad worden verspreid, maar toen klapte ik mijn mond dicht. Waar maak ik me druk om? Is het omdat Randalls geen oog heeft voor details? Komt het doordat mevrouw G. me heeft geholpen en ik iets terug wil doen? Of heb ik gewoon ontzettend met die mensen te doen omdat ze het systeem niet begrijpen en niet weten hoe ze hun gelijk moeten krijgen?

Tom keek me nog steeds aan alsof hij er net achter was gekomen dat hij om onverklaarbare reden met de verkeerde vrouw in bed lag. 'Q, dit is belachelijk. Niemand is tegenwoordig nog voorstander van vaste huur. Je bent Engels, misschien snap je het daarom niet.' Hij stak zijn hand uit om mijn kin te strelen. 'Ga weer liggen. Dit slaat nergens op. Wees eens lief voor me.'

Tom vertegenwoordigt Randalls. Ik vond het opeens een weerzinwekkend idee om met hem te vrijen. 'Dit moet een grap zijn,' zei ik woedend, terwijl ik zijn hand wegduwde. 'Ik heb het gevoel dat je een volslagen vreemde voor me bent.' Daarmee verhoogde ik de inzet aanzienlijk, maar dat kon me niets schelen. 'Verdorie, Tom, je denkt tegenwoordig alleen nog maar aan je carrière, het bedrijf waar je voor werkt en geld verdienen. Is dat het enige wat telt?' vervolgde ik. Ik had het gevoel dat ik eindelijk vastere grond onder mijn voeten had. 'Alles draait om jou en of je partner zult worden. Ik word er doodziek van. Je denkt niet aan mij of aan de buurt of aan de baby, alleen maar aan jezelf. Je bent een klootzak. Heb je me gehoord? Een klootzak. Je slaapt vannacht maar op de grond.' Toen draaide ik me om en ging nadrukkelijk met mijn rug naar hem toe liggen.

Het bleef lange tijd stil. Ik hoorde Tom zwaar ademen. Met enorme inspanning dwong ik mezelf om langzaam en rustig uit te ademen, terwijl ik nogal ongeloofwaardig deed of ik bijna in slaap viel. Uiteindelijk fluisterde hij zacht en woedend: 'Ik snap het.' Het bed schokte toen hij eruit stapte en ik hoorde dat hij de yogamat en dekens van de bovenste plank van de kast af haalde en op de vloer gooide. Een paar tellen later trok hij nonchalant een van de kussens weg die ik achter mijn rug had gezet, waardoor ik onwillekeurig een gil gaf, en liet die met een plof op de mat vallen. Tom ging op zijn kleine, harde bed liggen. We lagen allebei naar het grijze plafond te staren.

Toen ik vanmorgen wakker werd, was Tom weg. De yogamat en de dekens waren nergens te bekennen. Ik hoorde geluiden in de keuken – het gekletter van borden, de deur van de koelkast die werd dichtgesmeten – en ik riep dat hij bij me moest komen. Even later stak Alison, in plaats van Tom, haar ongewenste hoofd om de deur. 'O, je bent wakker,' zei ze, terwijl ze overgedienstig vlug met een dienblad de slaapkamer binnen kwam en dat op mijn nachtkastje neerzette. Ik trok het dekbed op tot aan mijn kin en wenste dat ze weer aan de andere kant van de hemisfeer was. 'Kijk eens! Koffie en croissantjes voor ons allebei. Voor jou natuurlijk cafeïnevrij. Tom zei dat er een crisis op zijn werk was. Hij trok vanmorgen om halfacht de voordeur al achter zich dicht. Ik kan beter zeggen dat hij zich naar buiten stortte, want daar leek het meer op. Hij had een gezicht als een donderwolk en zijn ogen waren net twee gloeiende kolen. Hebben jullie ruzie gehad?' voegde ze er met gemaakte bezorgdheid aan toe, terwijl ze het zich gemakkelijk maakte aan het voeteinde van mijn bed. Ze keek me scherp aan.

Ik ontkende uiteraard dat er iets aan de hand was en begon een zeer ongeloofwaardige monoloog over dat de zwangerschap ons dichter bij elkaar had gebracht.

36

Tom en ik hebben elkaar vier jaar geleden eind september op een mooie zondagmiddag ontmoet in een café vlak bij Washington Square. Ik was twee maanden daarvoor in Manhattan komen wonen en werkte een lijstje af met vrienden en oppervlakkige kennissen die ook in New York woonden om zo een nieuw leven op te bouwen. Whitney was het nichtje van een vriendin die ik van de universiteit kende en ze was echt heel aardig, een vrolijke reclamemaker met vlechtjes in haar haar en een piepklein diamantje in haar linkerneusvleugel. Ik heb haar daarna nooit meer gezien, want die avond ging ik met Tom naar bed en daardoor vergat ik alles en iedereen. Een halfjaar later vond ik een briefje met haar telefoonnummer in mijn portemonnee. Het zat tussen een pinbonnetje en een verlopen metroabonnement, maar toen was het al te laat om alsnog vriendinnen te worden.

Whitney en ik zaten nog maar net van onze cappuccino te genieten in de amberkleurige middagzon toen een man van achter in de twintig met een George Clooney-kapsel ons aansprak. Hij vroeg of zijn vriend en hij erbij mochten komen zitten. Hij liet ons even een glimp van zijn hagelwitte tanden en te strakgespannen biceps zien toen hij glimlachend alvast een stoel naar achteren trok, er vast van overtuigd dat we het goed zouden vinden. Whitney zei iets. Ik weet niet meer wat, maar het was een meesterlijke ad remme opmerking. De man met het Clooney-kapsel haalde nonchalant zijn schouders op, schoof de stalen stoel terug en mompelde iets over tuttige wijven toen hij op een stoel aan het tafeltje ernaast ging zitten. Zijn vriend – een rustige, slanke man met zwarte krullen, zeekleurige ogen en een prachtig, op maat gemaakt tweedjasje – keek ontzet en toen het Clooney-kapsel opstond om sigaretten te gaan halen, kwam hij op ons af en bood vlug zijn excuses aan.

Whitney knikte vaag naar hem. Ik denk dat ze niet eens doorhad wie hij was, maar ik had hem heimelijk over de rand van mijn glas in de gaten gehouden sinds het Clooney-kapsel zich had opgedrongen. Hij was niet mijn type. Hij viel althans niet in de categorie mannen met wie ik de afgelopen jaren uit was geweest. Ik had een voorkeur voor jongensachtige blonde mannen die meestal een paar centimeter korter en een halfjaar jonger waren dan ik. Deze man was donker, lang en duidelijk volwassen. Hij had zijn kleding met zorg uitgekozen en netjes gestreken en ze zagen er duur uit. Hij was hooguit dertig, maar hij had geld. Hij was vast zakenman of advocaat. Na een tijdje kwam ik tot de conclusie dat hij advocaat moest zijn. Hij had de wat uitgebluste, intellectuele uitstraling van een man die tot de academische wereld had willen toetreden, maar zo verstandig was geweest voor een carrière met betere arbeidsperspectieven te kiezen. Ik had gelijk.

Daar kwam ik een paar uur later achter toen we op een bankje op Washington Square zaten. Whitney en ik hadden afscheid van elkaar genomen bij de ingang naar het metrostation West 4th Street. We beloofden contact te houden, maar dat werd vanaf het begin al ondermijnd door mijn misleidende smoes dat ik lijn 6 vanaf Bleecker Street moest hebben. Toen ze uit het zicht was verdwenen, rende ik terug naar het café in de hoop dat hij er nog zou zitten. Het lot was me gunstig gezind, want ik arriveerde op het moment dat hij met een zwierig gebaar van zijn Mont Blanc-pen een handtekening zette en daarmee de rekening betaalde. Hij keek naar me op toen ik onzeker een meter of drie vanaf de plek waar hij zat, bleef staan. Toen glimlachte hij, stond op en liep op me af alsof het was afgesproken dat we dit zouden doen. 'Ik ben Tom,' zei hij, waarbij hij met een aantrekkelijke mengeling van zelfvertrouwen en eerbied zijn hand uitstak. 'Je bent mooi. Zullen we een eindje gaan wandelen?'

Ik zie de mond van het Clooney-kapsel nog openvallen van verbazing. Ik herinner me Toms hand op mijn onderrug toen hij me over straat leidde in de richting van Washington Square. Ik weet nog dat we langs de zwijgende schaakspelers bij de ingang van het park liepen en dat er een kakofonie van geblaf was van tientallen honden die over de hondenrenbaan snelden. Ik herinner me opgewonden kinderen die in de fontein spetterden, het zachte geritsel van de blaadjes in de toppen van de bomen, die een zweempje goud hadden, veroorzaakt door de koele wind. Het staat me bij dat ik heimelijke blikken op de gebruinde huid, lange wimpers en slanke, vaardige handen van mijn metgezel wierp.

We gingen op een bankje vlak bij een van de omheinde speelterreinen zitten en keken naar kinderen op schommels die hoog door de lucht zweefden, terwijl hun zenuwachtige moeders in strakke Gucci-spijkerbroeken in een groepje bij het hek stonden. Tom verontschuldigde zich nogmaals. Het Clooney-kapsel had samen met hem aan Harvard gestudeerd, legde hij uit. Hij was ooit een goede vriend van hem geweest, maar werkte nu als managementconsultant voor McKinsey. Hij verzekerde me dat hij zich gewoonlijk niet inliet met zulke oppervlakkige mensen. De laatste keer dat ze elkaar hadden gezien, was Daryl nog een verlegen nerd die wiskunde studeerde, maar geld en macht hadden alles veranderd. Tom vertelde dat hij niet meer met Daryl zou afspreken en ik denk dat ik op dat moment verliefd op hem werd vanwege de vriendelijke strengheid in zijn ogen.

Tegen de avond wist ik alles over de band met zijn familie (vriendschappelijk), zijn prestaties op de universiteit (goed), zijn ambities (serieus) en zijn laatste vriendin (getrouwd). Alles wat ik hoorde, bevestigde mijn eerste indruk. Hij was volwassen, werkte hard, was gesetteld en beschikbaar. Kortom, alles wat een volwassen vrouw in een man zoekt. De eerste drie nachten gingen in een waas van zweet en op sm lijkende seks voorbij. Aan de ene kant schaamde ik me, maar aan de andere kant verlangde ik naar meer. Zijn tanden stonden in mijn keel en die van mij zag je op zijn dijen. De vierde nacht besloot hij teder te zijn. Toen ik de volgende ochtend wakker werd, wist ik dat ik met hem zou trouwen.

Ik herinner me dat ik aan het eind van de eerste week, terwijl ik een kop zwarte koffie en een bosbessenpannenkoek voor me had staan, naar hem keek en bedacht dat hij ook nog Amerikaan was. Het was me op dat moment niet duidelijk waarom dat zo belangrijk was, maar ik wist dat het wel degelijk uitmaakte. Maanden later vertelde ik flink aangeschoten aan een vriendin dat een van de grootste pluspunten van mijn vriend was dat hij heel ver bij mijn moeder vandaan woonde.

We trouwden twee jaar later op een manier waaraan mijn moeder zich groen en geel ergerde. De rechter bij wie Tom secretaris was, voltrok de plechtigheid op zijn kantoor en er waren slechts twee getuigen aanwezig: Mark en een vriendin van me van de kleuterschool die toevallig op bezoek was. Na afloop gingen we met z'n vijven brunchen in ons favoriete restaurant in de West Village en genoten bij een knapperend haardvuur van met kaneel bestrooide wentelteefjes. Dit was voor mijn moeder natuurlijk niet romantisch genoeg. Ze had liever gezien dat we ervandoor waren gegaan, het liefst achtervolgd door een verongelijkte eerste echtgenote, of dat we een groot feest hadden gegeven waar ze kon rondparaderen en belangrijk kon doen. Wat dat tweede betreft, had Alison haar natuurlijk al op haar wenken bediend met haar sprookjeshuwelijk in de St. Margaret's Church in Westminster. Ik heb een sterk vermoeden dat Jeanie dat eerste zal doen, al betwijfel ik of mijn moeder dat in werkelijkheid ook zo leuk zal vinden. Bij ervandoor gaan denkt ze aan maanverlichte kerken en een niet-deugende aristocraat die aan de toorn van zijn familie probeert te ontsnappen, niet aan een kantoor van de burgerlijke stand in Camden en een pokdalig uilskuiken dat Dave heet.

Mijn moeder wist vanaf het begin al niet wat ze met Tom aan moest. Tot ze hem voor het eerst ontmoette, deed ze of hij niet bestond. Toen we bij haar op bezoek gingen in Londen en ze die strategie vanwege zijn lichamelijke aanwezigheid niet meer kon handhaven, deed ze alsof hij eigenlijk Engels was. Toen Tom weigerde dat spelletje mee te spelen, kalm over de politiek van het Congres sprak en kandidaten opsomde die mogelijk tot de Hoge Raad zouden worden benoemd, besloot ze dat oorlog onvermijdelijk was en ze begon een grootscheepse campagne om mij ervan te overtuigen hem te dumpen. 'Ik weet het niet, Q. Ik heb jou nooit het type gevonden om je te binden,' zei ze, met grote ogen van zogenaamde bezorgdheid. 'Ik dacht dat je op de ware zou wachten, maar je biologische klok tikt door, hè?'

Haar campagne haalde natuurlijk niets uit en we trouwden toch. Ze heeft destijds iets gezegd wat me de afgelopen weken achtervolgt. 'Hij is erg knap, maar zal hij je ruimte geven om te groeien?' vroeg ze, toen ik belde om te zeggen dat we die ochtend waren getrouwd. 'Ik ben inmiddels zesenvijftig en ik begin nu pas te ontdekken wie ik werkelijk ben, Q. Toen ik getrouwd was, had ik geen tijd voor zelfontplooiing. Je vader had het te druk met zijn eigen dromen najagen om eraan te denken mij te helpen de mijne te verwezenlijken. Ik weet dat je denkt dat mijn werk voorging toen jullie opgroeiden, maar iemand moest het geld verdienen om ons allemaal te onderhouden. Je bedje is nu gespreid, lieverd. Ik hoop alleen dat je kersverse echtgenoot rekening zal houden met je dromen.'

37

Maandag, 14.00 uur

'Waar droom jij van, Q?' Dat vroeg Alison gisteravond tijdens het diner. We aten helaas met z'n tweeën, want Tom bleef de hele avond op kantoor.

Alison en ik aten kliekjes van het feest, iets waar je gegarandeerd een slecht humeur van krijgt. Ze vertelde dat ze onlangs een prijs had gewonnen voor een abstract beeld van een kat. Het lijkt helemaal niet op een kat. Om haar te stangen zei ik dat het net een konijn was, maar toen zei ze, om mij op haar beurt op de kast te krijgen, dat ik had ontdekt dat het beeld de ware complexe aard van de relatie tussen roofdier en prooi uitdrukt.

'Je hebt het pad middelbare school/universiteit/specialisatie in rechten gevolgd en je leek er niet over te peinzen daarvan af te wijken. Wil je wel echt advocaat zijn? Je bent helemaal naar Amerika gegaan. Soms denk ik dat je je gewoon voor ons verstopt, zodat we niet zien dat je niet weet wat je met je leven aan moet. Heb ik het mis?' Met een uitdagende blik sloeg ze haar ogen naar me op.

Ik keek haar kalm aan. 'Hoe kom je erbij dat ik geen advocaat wil zijn?' vroeg ik onverstoorbaar.

'Nou, je lijkt het niet erg te vinden dat je door dat platliggen niet naar kantoor kunt. Ik snap dat je vrij wilt hebben, even weg uit de sleur, maar als ik niet zou kunnen beeldhouwen – snuif niet zo, Q, dat past niet bij je – zou ik echt gefrustreerd raken. Mama zou gek worden als ze geen les kon geven. Jeanie is dolblij met haar vervolgopleiding en ik denk dat Tom de haren uit zijn hoofd zou rukken als hij geen advocaat kon zijn. Zijn werk lijkt hem volledig op te slokken. Maar volgens mij kan het jou niets schelen. Je lijkt tegenwoordig niet eens meer aan je werk te denken, in ieder geval niet zoals je vroeger in Oxford aan essays en dat soort dingen dacht. Daaruit concludeer ik dat je niet blij bent met het carrièrepad dat je hebt gekozen.'

Je kunt je wel voorstellen dat mijn bloed op dat moment kookte. Ik was woedend. 'Hoor eens, zusje,' zei ik tegen haar. 'We hebben niet allemaal een echtgenoot die ons onderhoudt. Sommige mensen moeten werken voor de kost. Zo is het toevallig ook nog eens een keer. Dat ik niets artistiekerigs doe, betekent nog niet dat ik geen voldoening in mijn werk vind. Ik hélp mensen. Dat kan ik over jouw op konijnen lijkende katten en potten die de ware complexe aard van de relatie uitdrukken tussen werken en volkomen nutteloos bezig zijn niet zeggen. Of wel soms? Nou?' slingerde ik haar briesend naar het hoofd.

Ze haalde haar schouders op en begon uit te leggen dat haar kunst de grenzen van het normale opzoekt, maar ik veranderde van onderwerp. Ik wilde niets meer over die onzin horen.

38

15.00 uur

Het is niet waar dat ik niet aan mijn werk denk. Brianna houdt me op de hoogte van mijn oude zaken, Fay licht me in over de nieuwe en ik heb het bewonerscomité tegen sloop geholpen bij hun strijd tegen de huisbaas. Nou dan?

Het is inderdaad waar dat mijn werk bij Schuster mijn gekwelde ziel niet volledig bezighoudt, wat wel voor Tom en zijn werk geldt, maar dat komt omdat ik stabieler ben. Ja, dat zal het zijn. Ik sta zeer evenwichtig in het leven. Dat zal ik tegen Alison zeggen als ze er weer over begint.

16.00 uur

Alison ontkent dat het door mijn levenshouding komt. 'Wat een onzin, Q. Je zat negentig uur per week op kantoor. Dat kun je toch niet evenwichtig noemen? En dat zou ik nog tot daaraantoe vinden als ik de indruk kreeg dat je ervan genoot of dat het je duidelijk stimuleerde. Maar daar merk ik niets van. Wat is er dus aan de hand?'

Ik zei dat ik kotsmisselijk werd van haar potten.

Dinsdag, 1.30 uur, geschreven bij het licht van het scherm van mijn laptop.

Formeel gezien hebben Tom en ik onze ruzie zojuist bijgelegd. Ik gebruik het woord 'formeel' omdat ik, toen een uur geleden zijn schaduw in de deuropening verscheen, rechtop in bed ging zitten en met een stem die zelfs in mijn eigen oren werktuiglijk klonk, zei dat het me speet dat ik zaterdagavond mijn zelfbeheersing had verloren. Daarop zei hij vormelijk, kil en op een manier die voor meer dan één uitleg vatbaar was dat het hem ook speet.

Er viel een stilte. Ik vroeg me af wat ik moest zeggen, wat ik moest doen om het weer goed te maken zonder me gewonnen te geven, zonder de waarheid, het hart, de kern van de ruzie terug te nemen. Toen zei hij opeens: 'Hoor eens, Q, ik ben hondsmoe. Ik heb nu geen tijd voor een lang emotioneel gesprek. Ik heb al twee dagen amper geslapen. Ik slaap vannacht gewoon weer op de mat op de vloer. Dan heb jij geen last van mij en ik niet van jou.'

'Zoals je wilt,' zei ik al net zo afstandelijk, en ik ging met een theatraal gebaar weer liggen. Ik lag met ingehouden adem en tintelende vingers te luisteren, terwijl hij zijn dunne smalle mat opmaakte.

Nu ligt hij dus op zijn zij op de vloer, zo'n anderhalve meter bij me vandaan, met zijn rug naar het bed toe. Er steekt nog net een plukje donker haar boven de deken uit. Ik heb het afgelopen halfuur naar zijn slapende gestalte liggen kijken, een lichaam dat opeens niet meer bij mij lijkt te horen.

39

Woensdag, 13.00 uur

Het waait vandaag ontzettend hard en de lucht is grijs en be-
wolkt. Een oud vrouwtje in het appartementengebouw aan de
overkant probeert buiten de was op te hangen. Het kost moeite om de overhemden aan een geïmproviseerde waslijn boven
haar smalle balkon vast te maken. Dat is het vertier waarmee
een vermoeide, diepbedroefde Q het vandaag moet doen.

Alison vroeg gisteravond of ze mijn babyaankopen mocht
zien en tot mijn verbazing kwam Tom achter een stapel
boeken vandaan en zei dat hij ze ook wilde zien. Dus haalden
Alison en hij de dozen uit de kinderkamer, ook bekend als de
logeerkamer of Alisons geparfumeerde hol. Tom pakte een
schaar en met z'n tweeën sneden en trokken ze dozen open
totdat de zitkamer vol lag met meubeltjes, linnengoed, zalf-
jes, speelgoed en ontelbare lichtblauwe bolletjes verpak-
kingsmateriaal. Alison liet zich lovend uit over mijn aankopen en zelfs Tom leek ontroerd bij het zien van de kleine
mandenwieg van zeegras. Uit mijn ooghoek zag ik dat hij
een van de lichtblauwe lakentjes voorzichtig tegen zijn wang
hield. Het is onvoorstelbaar dat onze zoon daar over een
paar weken onder zal liggen.

Na het avondeten begon Alison weer over mijn werk. Ze had geen ongelukkiger moment kunnen kiezen. Toen we naar de babyspullen keken, was er weer warmte tussen Tom en mij ontstaan, een klein stapje in de richting van intimiteit. Het stelde niet veel voor, maar ik werd toch opgewekter toen Tom naar me glimlachte om een teddybeer die een slaapliedje speelt als je aan een oor trekt. Hij vond hem erg leuk en zat onder het eten de hele tijd met de gouden krullen van de vacht te spelen.

Het onderwerp carrière bracht de kou meteen weer in de lucht.

'Tom, denk je dat Q haar werk leuk vindt?' vroeg Alison, waarbij ze Tom aandachtig aankeek, terwijl ze van een glas frambooskleurige Chileense rode wijn nipte.

Tom, die in de vensterbank zat, werd erg stil. 'Wat bedoel je?' vroeg hij voorzichtig. Ik zag zijn knokkels wit worden om zijn koffiekopje.

Alison trok een pruilmondje met haar rode gestifte lippen. 'Heeft ze niets over ons gesprek gezegd?' vroeg ze, waarbij haar ogen van de een naar de ander schoten. Ik wist wat ze dacht. Ik voelde dat mijn bloed weer begon te koken.

'Alison heeft me gisteren de les gelezen over het soort werk dat ik doe en ze verkeert in de veronderstelling dat ik haar tirade de moeite waard vond om tegen jou te herhalen, schat,' zei ik tegen Tom, waarbij ik mijn zus vernietigend aankeek. 'Dat was dus duidelijk niet het geval, want ik vertel je alle belangrijke dingen,' voegde ik er luid aan toe om haar duidelijk te maken hoe het zat.

Alison haalde haar schouders op en keek Tom onderzoekend aan. 'Ik heb tegen Q gezegd dat ik denk dat haar werk haar geen voldoening schenkt. Op school en op de universiteit was ze altijd heel fanatiek, maar nu lijkt ze amper aan haar werk te denken. Ze was het niet met me eens, maar ik vraag me af wat jij ervan vindt. Je kent haar tegenwoordig immers beter dan wie dan ook,' zei ze, waarbij ze het woord 'tegenwoordig' benadrukte, alsof ze wilde aangeven dat ik voor de rest van de wereld een raadsel ben.

Tom keek eerst naar haar en toen naar mij. 'Ik weet eigenlijk niet of haar werk haar voldoening schenkt of niet,' zei hij uiteindelijk langzaam. 'Ik denk dat ze gelukkiger zou zijn als ze een minder stressvolle functie had.'

Alison knikte fel. Ze dacht duidelijk iets op het spoor te zijn. 'Dat is erg interessant, Tom. Heel boeiend dat je dat zegt,' reageerde ze, waarbij ze me veelbetekenend aankeek. Ze liet het topje van haar vinger nadenkend over de rand van haar glas glijden, wat een laag resonerend geluid maakte. 'En hoe zit het met jou?'

Tom was onaangenaam verrast. 'Wat zei je?' vroeg hij beleefd. Zijn stem leek vanaf de andere kant van de stad te komen.

'Ik heb al tegen Q gezegd dat je duidelijk heel gedreven bent, maar je werkt wel op onmenselijke tijdstippen. Ik weet echt niet of Q het gaat redden als de baby er is. Ik denk dat ze zwaar onder druk zal komen te staan. Zou jij gelukkig kunnen zijn met een minder stressvolle functie, zoals je dat zelf noemt?'

Ik hapte vol afschuw naar adem. Straks dacht hij nog dat dit bij mij vandaan kwam, dat ik over hem had geklaagd tegen mijn bemoeizieke, superieure zusje en dat ik haar had gevraagd om zich er namens mij mee te bemoeien.

Er viel een stilte. Het begon te waaien. Buiten viel een krantenautomaat met veel gerammel op het trottoir, er klonk een wat verontwaardigde kreet van iemand die zijn hoed verloor, de blaadjes van vorig jaar werden ruisend over straat geblazen, gingen de hoek om en vergingen tot stof. Tom stond op en zette zijn espressokopje heel voorzichtig op het bijbehorende delicate schoteltje. Hij streek zijn broek glad en keek me aan met een blik van… Hoe zal ik het noemen? Verwijt? Boosheid? Verdriet? Vervolgens keek hij demonstratief op zijn horloge. Toen hij eindelijk opkeek, was zijn gezicht uitdrukkingsloos.

'Onmenselijke werktijden of niet, ik moet terug naar kantoor om een stuk af te maken. Jullie zullen dit gesprek dus zonder mij moeten voortzetten,' zei hij met een hatelijke ondertoon, zodat mijn gezicht rood aanliep. 'Wil je Q naar bed helpen en ervoor zorgen dat ze genoeg water heeft? Tot morgen,' voegde hij eraan toe, toen hij zachtjes ongemeend een kus op mijn voorhoofd drukte. Tien seconden later viel de deur van het appartement met een klap dicht. Hij was weg, verdwenen in de equinoctiaalstormen.

Alison keek me vol verwachting aan. Ik zweeg. Er viel niets te zeggen zonder de volle omvang van ons probleem te onthullen, dat plotseling enorm leek, een aambeeldvormige wig die werd gevormd door de spanningen die de afgelopen maanden waren opgelopen. Of waren het jaren? Waren die er vanaf de eerste dag en de eerste nacht al geweest en hadden die zich als groeiende kankercellen verzameld en gedeeld? Even was ik bang dat ze zou vragen wat er aan de hand was, maar ze leek zich te bedenken, want ze zette haar wijnglas voorzichtig neer en kwam naar me toe om me van de bank af te hijsen. 'Ik zal je waterkan vullen,' was het enige wat ze zei toen ze me hielp om naar de slaapkamer te schuifelen.

40

Donderdag, 12.00 uur

Tom is vanmorgen vroeg naar Tucson vertrokken. Op de terugweg gaat hij in Baltimore bij zijn ouders langs. 'Alison kan voor je zorgen,' zei hij vlug, te vlug toen hij hoorde dat ze zou komen. 'Er is dus geen enkele reden waarom ik niet kan gaan of wel soms?' Ik schudde langzaam mijn hoofd. 'Waarschijnlijk niet,' zei ik kalm, terwijl ik bedacht dat als hij zelf geen reden kon verzinnen ik die ook niet zou geven. Ergens in mijn achterhoofd hoorde ik de metalige klank van het aambeeld, het gedempte geluid van staal op staal, van twee onbuigzame voorwerpen die elkaar raakten.

Niet dat Alison goed voor me zorgt. Ze is namelijk gaan winkelen. Ze had vanmorgen in *The New York Times* gelezen dat ze vandaag bij Henri Bendel één dag uitverkoop houden. Ik heb haar nog nooit zo snel zien bewegen. Op weg naar de deur botste ze in de hal tegen mevrouw G. op. 'Q, je vriendin is er om je gezelschap te houden,' kondigde ze plechtig aan, alsof ze mevrouw G. persoonlijk had gebeld om te vragen of ze wilde komen. 'Ik ben op tijd terug om vanmiddag met je mee naar de gynaecologe te gaan,' riep ze, 'en om je lunch klaar te maken,' voegde ze er extra hard aan toe, in de hoop dat mevrouw G. door zou hebben dat ik een voorbeeldige zus heb.

Maar mevrouw G. was te zeer over haar toeren om dat soort dingen op te merken. Ze zag er vreselijk uit toen ze binnenkwam. Ik had haar nog nooit zo radeloos gezien en ook nog nooit met zo'n zwaar accent horen praten. Ik kon haar amper volgen. Ik moest haar twee glazen van Toms whisky geven voordat ze kalm genoeg was om te vertellen wat er aan de hand was.

De brief die ik had geschreven, was blijkbaar helemaal verkeerd gevallen, want Randalls had zijn toevlucht genomen tot wel heel bizar, om maar niet te zeggen onethisch gedrag ten opzichte van de huurders. Binnen vierentwintig uur na ontvangst van de brief had Randalls iemand aangesteld die de persoonlijke en financiële handel en wandel van de huurders moest nagaan. Deze persoon, die volgens mevrouw G. klein en dik is en op een bruinvis lijkt, heeft familieleden ondervraagd en politiedossiers doorgelicht, en heeft letterlijk zijn neus in hun afval gestoken om iets te vinden waarmee hij de huurders zou kunnen 'overhalen' om te vertrekken. Mensen met een openstaande parkeerboete zijn met afschrikwekkende sancties bedreigd. Huurders hebben het over duistere ontmoetingen in ondergrondse parkeergarages en over een angstaanjagende stem die fluisterend waarschuwde dat verbanning en boetes zouden volgen. De bruinvisman heeft de huurders blijkbaar verteld dat als ze ook maar iets over deze ontmoetingen tegen mevrouw G. zouden zeggen, hij de FBI op hen af zou sturen. En de CIA. En de binnenlandse veiligheidsdienst. Die arme mevrouw G. snapte niet waarom haar vrienden zich als lemmingen die zich van een steile rots stortten uit de actiegroep terugtrokken. Ze zeiden dat ze de bepalingen uit de oorspronkelijke overeenkomst van Randalls toch accepteerden en vroegen haar of ze de zaak verder, alsjeblieft, wilde laten rusten.

Hoera voor mevrouw G. Ze zei namelijk dat ze dat niet zou doen en vroeg wat er in vredesnaam aan de hand was. Die bruinvisman mag dan eng zijn, maar volgens mij is mevrouw G. angstaanjagender. Gisteravond heeft ze een oud stel zo bang gemaakt dat ze het verhaal hebben opgebiecht. De schoondochter van het stel had vijf jaar geleden drie maanden illegaal als serveerster gewerkt en bruinvisman had hun wijsgemaakt dat hij ervoor zou zorgen dat haar aanvraag voor een permanente verblijfsvergunning zou worden afgewezen, zodat ze voor altijd van haar zoontje zou worden gescheiden. Het jongetje was vorig jaar in het Mount Sinai-ziekenhuis geboren en had het Amerikaanse staatsburgerschap. Het stel bezweek als een tent in een orkaan. Volgens mevrouw G. stonden ze gisteren op het punt een huurcontract te tekenen voor een appartement dat qua oppervlakte een kwart is van hun huidige woning en vijftig straten verder naar het noorden ligt.

'Het klopt niet,' zei ze opgewonden. 'Dit kan gewoon niet.' Ik moest haar gelijk geven: dit is onwettig.

Terwijl ik haar relaas aanhoorde, staarde ik voor me uit naar buiten en dacht diep na. Crimpson vertegenwoordigt Randalls. Niet wat de ontruimingen betreft, maar wel als het om nieuwbouw gaat. Als ik mevrouw G. in deze strijd steun, als ik haar help om Randalls te ontmaskeren, dan strijd ik in feite tegen Tom, tegen zijn bedrijf, tegen zijn cliënt en, als je er goed over nadenkt, tegen zijn wereldbeeld.

'Mevrouw Gianopoulou,' zei ik opeens tegen haar, voordat ik me kon bedenken, 'ik ga u helpen. Goed? Ik beloof u dat u er niet alleen voorstaat. Ik ga wat dingen uitzoeken. Ik zal nagaan wat uw juridische positie is. We zullen deze smeerlappen verslaan. Ik kan u niet beloven dat uw vrienden in hun huis mogen blijven, maar ik zal ervoor zorgen dat Randalls zijn verdiende loon krijgt en dat uw vrienden alles krijgen waar ze recht op hebben, dus geld en juridische bescherming.'

Mevrouw G. knikte langzaam. Opluchting streek zelfs de diepste, donkerste rimpels rond haar mond glad. 'Lieve meid,' zei ze. 'Je bent erg aardig.' Ik stak mijn hand uit en raakte even haar schouder aan. Ik had het prettige gevoel dat we samenwerkten, dat we met z'n tweeën een eenheid vormden. Ze heeft me nodig en ik kan haar helpen.

Maar toen de deur achter haar dichtviel, werd ik overspoeld door een koude golf van paniek. Ik had zojuist beloofd een groep te helpen die zich verzet tegen een cliënt van mijn man. En dan te bedenken dat mijn man en ik amper met elkaar praten, ik hoogzwanger ben en ik in verband met de gezondheid van de baby moet platliggen. Wat heb ik gedaan? Waar ben ik in vredesnaam aan begonnen?

41

15.00 uur

De baby reageerde vandaag gelukkig goed tijdens de CTG en de echo. De gynaecologe was opvallend vrolijk aan het eind van mijn afspraak. 'Hij krijgt deze keer een tien,' zei ze vriendelijk tegen me. 'Voordat u er erg in hebt, studeert hij cum laude af aan Yale. Of had uw man nou op Harvard gezeten? Harvard, nu weet ik het weer. Ja, als ik het zo bekijk, heeft hij een aardje naar zijn vaartje,' voegde ze er met een vriendelijke twinkeling in haar ogen aan toe.

Ik glimlachte strak naar haar en zei niets. Na de afspraak wachtte ik beneden in de hal van het gebouw waar dokter Weinberg haar praktijk heeft, terwijl Alison een taxi regelde. Vervolgens hees ik me langzaam overeind in het zonlicht van het vroege voorjaar. Toen ik naar de taxi strompelde, met mijn ogen knipperend tegen het felle licht, zag ik mezelf in de voorruit. Zes weken zonder lichaamsbeweging komt je figuur niet ten goede. Mijn nek en hals zijn dik geworden, ik heb een bolle kop, en mijn borstkas en buik lijken te zijn samengesmolten tot één grote uitstulping. Ik voelde tranen prikken bij mijn wimpers en ik merkte dat mijn wangen rood werden. Ik herken mezelf amper.

Vroeger vonden mensen mij slank. Dat is een van die woorden die je gebruikt om andere mensen te beschrijven. Het klinkt heel raar als je zoiets over jezelf zegt, tenzij je een contactadvertentie opstelt. Aantrekkelijk is ook zo'n woord. Dat etiket kreeg ik ook wel eens opgeplakt.

Mijn vrienden op de universiteit vroegen zich vaak af hoe het kon dat iemand zoals ik – lang, slank en aantrekkelijk – meestal geen vriend had. Zelf verbaasde ik me daar niet over. Ik zie er goed uit, maar er ontbreekt iets aan me. Wat dat is? Sexappeal? Misschien. Er is zo'n standaardzinnetje: ik weet niet wat ik mis, maar als ik het zie, herken ik het vast. Mijn schoolvriendin Lynn had het wel. Ze had een beugel en jeugdpuistjes, maar je moest haar eens zien dansen. Ze vertrouwde volledig op haar lichaam, alsof het precies deed wat ze wilde en geen geheimen voor haar had. Ik heb mijn lichaam altijd verbijsterend gevonden, die mysterieuze activiteiten en de donkere plekken waar het bloed vlak onder de huid stroomt.

Hoewel mannen nooit massaal voor me zijn bezweken, was Tom niet de eerste die voor me viel. Ik ben immers lang en slank. Toen ik eenmaal doorhad hoe belangrijk dat laatste was, vooral in combinatie met het eerste, heb ik enorm mijn best gedaan om mijn voorliefde voor zoetigheid stevig in bedwang te houden. Daarom vonden de meeste mensen me dus aantrekkelijk. Niet mooi – alleen Tom vond dat ooit – maar wel aantrekkelijk.

Maar nu… Tja, ik ben niet meer slank en dan doel ik niet alleen op mijn enorme buik. Ik heb het zelfs niet over de dubbele onderkin die de afgelopen weken is ontstaan. Sinds ik zwanger ben, is mijn verlangen naar voedsel onverzadigbaar. Ik heb mijn eetlust mijn hele leven onder controle kunnen houden, maar zodra mijn lichaam dit nieuwe leven registreerde, begon het hardnekkig te zeuren om koekjes, taart, patat en meer van die dikmakers. De kilo's vlogen eraan. Bij de maan-

delijkse controle bij de gynaecologe keek ik niet naar de weeg-
schaal en hield ik mijn oren dicht als de assistente mijn gewicht zei: 'zeventig kilo', 'vierenzeventig kilo', 'zevenenze-
ventig kilo.' Toen kreeg ik bedrust voorgeschreven, wat het
einde betekende van mijn wandelingen tussen de middag,
mijn tochtje door het park in het weekend en mijn incidentele
bezoeken aan de sportschool met Patty. Ik ben nu tweeën-
twintig kilo zwaarder dan aan het begin van mijn zwangerschap en ik ben niet meer aantrekkelijk. Ik hoef niet in de ruit
van een taxi te kijken om dat te weten. Mijn huid is ziekelijk
bleek en hangt slap bij mijn armen en kin, en mijn krullende
haar is aan de linkerkant van mijn hoofd plat als gevolg van
die eindeloze dagen op bed. Ik ben kolossaal en maar een be-
schamend klein deel van mijn omvang is toe te schrijven aan
het kind. Als dit zo doorgaat, heb ik op mijn dertigste gigantische vetrollen, het formaat van een reserveband van een SUV.

Vind je het gek dat mijn echtgenoot tegenwoordig hele
avonden op zijn werk zit?

18.30 uur

Gek genoeg is Mark zojuist op bezoek geweest. Ik lag op de
bank dit verslag te tikken, waarbij mijn vingers onder de krie-
belige blauw-met-grijze wollen deken vandaan kwamen, toen
er werd aangebeld.

Alison had zich bedacht over een jurk die ze bij Henri Bendel had gekocht en was snel teruggegaan om hem te ruilen.
'Volgens mij moet ik een maat kleiner hebben. Kijk dan, al die
extra plooien.' Zo kwam het dat ik alleen was.

'Q, ik hoop dat ik gelegen kom,' zei Mark ongemakkelijk, toen hij zijn zwarte leren jasje uittrok, een gele kasjmiersjaal afdeed en in de leren fauteuil ging zitten.

'Ja, hoor,' zei ik, terwijl ik me op het heden probeerde te concentreren. Mark komt altijd voor Tom, nooit voor mij. 'Wat kan ik voor je doen?'

'Ik kwam toevallig langs en toen dacht ik: weet je wat…' Hij zweeg en haalde diep adem. 'Nee, dat is niet waar. Ik ben doelbewust gekomen. Ik moet je iets bekennen.'

'Wat?' drong ik aan, terwijl ik dacht: voor de draad ermee en dan wegwezen. Ik mag je helemaal niet.

Ik wachtte vol spanning af. De seconden verstreken en hij zei niets. Hij keek me aan als een verward konijn en zijn mond stond een beetje open. Ik zag dat een van zijn voortanden een beetje was verkleurd.

'Het punt is… Het zit namelijk zo,' zei hij aarzelend en toen kwam het er in één keer uit: 'Q, ik heb een verhouding gehad.'

Ik zuchtte en bedwong de neiging om te zeggen dat ik dat al wist. Het leek me beter om geen open kaart te spelen. 'O ja?' zei ik zogenaamd verbaasd.

'Ja, en het punt is… Mijn vriendin was op je feest. Afgelopen vrijdag. Ik zag haar toen ik binnenkwam, maar toen was ze opeens weg. Ze heeft lang donker haar en leuke sproeten. Ze droeg een rode jurk met van die smalle bandjes en ze heet… Ze heet…'

'Brianna?' maakte ik de zin voor hem af, alsof ik een belangrijke ontdekking had gedaan.

'Ja.' Hij knikte heftig.

Er viel een stilte.

'Waarom vertel je me dit?' vroeg ik uiteindelijk om het stilzwijgen te verbreken.

'Omdat ik wil dat je me helpt om haar terug te krijgen,' zei hij. De woorden floepten eruit. Al pratend was hij gaan staan en hij ijsbeerde nu door de kamer waarbij hij telkens tegen de rand van het Perzische tapijt aan trapte. 'Ik heb haar sinds afgelopen vrijdag elke dag gebeld, wel drie keer per dag, maar ze belt niet terug. Ik word er gek van. Ik hou van haar, Q. Ik wil haar terug. Ik ga tegen Lara zeggen dat ik wil scheiden. Ik wil met Brianna trouwen. Wil je me helpen?' zei hij uiteindelijk. Hij draaide zich met een hoopvolle, smekende blik in zijn ogen om.

Ik moet toegeven dat ik deze relatie volledig afkeurde. Toen ik hem aankeek, drong het opeens tot me door dat ik kwaad was. Niet een beetje, maar heel erg.

'Zie je niet iets over het hoofd?' vroeg ik streng. 'Twee kinderen en een zwangere vrouw, bijvoorbeeld?'

Mark liet zijn vingers in een hulpeloos gebaar door zijn dunner wordende haar glijden. 'Dat weet ik en daar voel ik me vreselijk schuldig over, maar mijn leven is nu één grote leugen, Q,' vervolgde hij schijnheilig. 'Ik kan niet doen alsof ik nog van Lara hou. Ze is zo'n ijskoningin geworden, Q, daar heb je geen idee van. Brianna is warm, gezellig, liefdevol. Ik kan er niets aan doen…'

'Ach, houd nou toch op!' zei ik woedend. Voordat ik er erg in had, stroomden de woorden uit mijn mond als lava uit een vulkaan die al jaren niet is uitgebarsten. Er is weinig blijven hangen van wat ik heb gezegd, maar ik zie zijn onthutste gezicht nog voor me. Het gesprek eindigde toen hij de deur uit stormde, vloekend dat hij wel gek moest zijn geweest om me in vertrouwen te nemen, want ik was de minst sympathieke vrouw die hij ooit had ontmoet en Tom was een heilige omdat hij het met me uithield.

De deur viel met een klap dicht. Ik luisterde naar het geluid dat weerkaatste door het appartement. Dat doe ik tegenwoordig vaak.

De telefoon verbrak de stilte met dat merkwaardige Amerikaansc geluid: gerinkel, even niets en dan weer gerinkel. Het was mijn moeder. Haar opvallende Engelse accent stak de Atlantische Oceaan over door de lange aalachtige kabel die ons verbond.

'Q, ik heb een verrassing voor je,' zei ze veelbetekenend.

'O ja?' zei ik vermoeid. Ik was emotioneel uitgeput.

'Is dat alles wat je te zeggen hebt?' vroeg ze verongelijkt. Ik haalde diep adem, vermande me en vroeg plichtmatig wat de verrassing was.

'Ik kom logeren tot het kind er is!' kondigde ze aan. Ik liet de telefoon daadwerkelijk uit mijn handen vallen. Hij gleed weg uit mijn krachteloze vingers. Ik keek ernaar, een zwart plastic ding dat op het randje van de bank lag. Ik twijfelde of ik de telefoon weer zou oppakken of de verbinding zou verbreken. Dan zou ze haar mond houden, waarschijnlijk voorgoed.

Natuurlijk hing ik niet op. In plaats daarvan kneep ik even mijn pijnlijke ogen dicht en toen pakte ik de telefoon weer op. 'Sorry, er ging iets mis met de lijn,' zei ik zonder overtuiging. 'Ga verder.'

Ze klonk achterdochtig, beledigd en enthousiast tegelijk. 'Ik hoop dat je blij bent, Q. Het was een ramp om invallers te vinden voor de yogastudio, maar mensen hebben beloofd te zullen bijspringen en ik heb het rooster al klaar. Ik kom de negentiende. Dan ben je vierendertig weken zwanger. En ik kan minstens twee weken blijven, dus dan ben ik er nog als de baby wordt geboren!' zei ze tot slot opgewonden.

Bij mij logeren? In Amerika? In New York? Ik kon mijn oren niet geloven. Plotseling voelde ik iets wat ik al jaren niet meer had gevoeld, een verlangen naar haar dat ik niet onder woorden kan brengen. Mijn moeder. Hier. Eindelijk. Maar ik zei alleen: 'Geweldig. Bedankt. Leuk dat je komt.'

Alison kwam een halfuur later thuis met een piepkleine jurk. Ze was ook naar de manicure geweest en had haar nagels laten lakken met matte perzikkleurige nagellak. Terwijl we een kopje thee dronken, vertelde ik dat mama zou komen. Ze bevestigde dat die de afgelopen drie weken druk in de weer was geweest om invallers voor haar lessen te vinden. 'Ze smeekte me om er niets over te zeggen totdat ze alles had geregeld. Ze wilde je verrassen,' zei Alison. Vervolgens zei ze snuivend: 'Toen Serena was geboren is ze maar twee dagen bij me geweest. Ze zei dat ze geen vrij kon nemen en ik woon nota bene in Londen. Maar jouw zwangerschap is problematisch, dus dat zal de reden wel zijn.'

Ik keek Alison onderzoekend aan over mijn kopje earlgreythee en vroeg me af of we ooit volwassen zouden worden.

42

Vrijdag, 13.00 uur

Ik werd vanmorgen wakker en keek naar de lege plek naast me in bed. Het grote witte laken staarde onschuldig terug, tartte de haatdragende gedachten die zich in mijn achterhoofd vormden en waarvan ik me nog net bewust was. Het is moeilijk om boos te zijn op een stuk beddengoed.

Vervolgens dwaalde mijn blik door de slaapkamer en bleef rusten op de houten stoel bij de deur naar de badkamer. Er lag een Calvin Klein-onderbroek op de gestoffeerde zitting, met de pijpen omhoog, een slordige acht van gekreukeld grijs katoen. 'Raap me op en gooi me in de wasmand,' zei de onderbroek irritant tegen me. 'Schiet op, ik lig hier al twee dagen. Jij rust de hele dag, terwijl ik opsta, naar mijn werk ga en alle belangrijke dingen doe. Doe ook eens iets voor de verandering!'

'Sodemieter op,' zei ik knorrig tegen de onderbroek, terwijl ik mezelf uit bed hees. 'Regel het zelf maar. Ik heb andere dingen aan mijn hoofd. Je bent niet de enige met een baan.'

Na het ontbijt klapte ik mijn laptop open en liet mijn knokkels kraken. Tijd voor onderzoek.

Vroeger moest je voor een onderzoek naar vaste huur, huuradministratie en de vereiste procedures voor het slopen van gebouwen in het centrum van New York een dag in een muffe bibliotheek zitten, waar je naar duizelingwekkende planken moest klimmen om enorme, in goud gebonden boekdelen met flinterdunne pagina's en piepkleine lettertjes te pakken. Tegenwoordig kan een vrouw die bedrust moet houden in ongeveer drie uur tijd verbazingwekkend veel te weten komen mits ze het juiste wachtwoord weet om het archief van Westlaw online te kunnen raadplegen.

Ik had algauw iets ontdekt. Ik knipte de tekst en plakte die in een Word document:

De wet verbiedt het terroriseren van huurders met een vaste huur. Eigenaren die schuldig worden bevonden aan doelbewuste acties om een huurder te dwingen een appartement te ontruimen, kunnen hiervoor een civiele of strafrechtelijke boete krijgen. Eigenaren die schuldig worden bevonden aan het op of na 19 juli 1997 terroriseren van hun huurders, dienen rekening te houden met boetes die kunnen oplopen tot vijfduizend dollar per overtreding.

Ik sloeg het document op en noemde het 'Randalls rot op'. Daarna maakte ik een map aan waarin ik dat bestand zou zetten en die noemde ik keurig 'Ontdekkingen Randalls'.

Vervolgens nam ik de procedures door die 'voortvloeien uit de wet op de huurregulering en gelden voor huiseigenaren die een verzoekschrift willen indienen om bestaande huurcontracten niet te hoeven verlengen wegens sloop, waardoor speciale beschermingsmaatregelen voor huurders van kracht worden'. Ik ben altijd al dol geweest op dat deftige advocatentaaltje. Het doet me denken aan Shakespeare, aan donkere mistige steegjes, rapieren in de nacht, een stuk perkament in de hand van een dode man. Ik markeerde dit gedeelte, knipte het en plakte het in een nieuw document. Ik zocht verder, klikte op links en kopieerde de ene na de andere alinea naar het document 'Randalls rot op'. Ik sloeg nog meer van dat soort documenten op, die ik allemaal in de map 'Ontdekkingen Randalls' zette, te weten: 'Sodemieter op, Randalls', 'Geen sprake van, Randalls', 'Randalls hangt', etc. Samengevat: de afkoopregelingen die Randalls voorstelt, zijn beduidend lager dan de wettelijk voorgeschreven bedragen en de huurders hebben de noodzakelijke papieren niet ontvangen. Over papieren gesproken, dacht ik bij mezelf toen ik eindelijk de telefoon pakte, waar is de vergunning van de DHCR eigenlijk?

Het duurde even en er waren enkele misleidende verklaringen voor nodig, hoewel ik formeel gezien nog steeds bij Schuster in dienst ben, dus zo'n grote leugen was het niet. Ik ontdekte wat ik al langer vermoedde, namelijk dat de vergunning om het appartementencomplex te mogen slopen nog niet is verleend. Daar wordt pas volgende maand over beslist. Dat betekent dat de juridische vertegenwoordigers van de huurders nog ruim de tijd hebben om bezwaar aan te tekenen én om het afschuwelijke gedrag van de huisbaas openbaar te maken. Tijd om betrouwbare juridische vertegenwoordigers voor de huurders te vinden.

Ik pakte de telefoon, belde Fay en legde haar de situatie uit. 'Ik wil dat Schuster deze zaak pro Deo doet. Ik mail je straks een brief door. Die moet je ondertekenen en naar een bedrijf sturen dat Randalls heet. Stuur ook een kopie naar Smyth & Westlon en naar Crimpson Thwaite, dat zijn hun juridische vertegenwoordigers. We gaan met van alles en nog wat dreigen, van bliksemschichten tot en met de elektrische stoel. Dat doen we voor een groep oude Griekse dames en heren en daar hoeven we geen geld voor te hebben. Goed?'

Ik zal maar niet herhalen wat Fay zei, maar aan het eind van het gesprek had ik mijn zin gekregen.

Ik ben nooit goed geweest in van me af bijten. Ik ben er eigenlijk ook nooit zo'n ster in geweest om voor mijn cliënten op te komen. Eerlijk gezegd ben ik geen talentvolle advocaat. Dat is raar, want ik haalde op de universiteit en tijdens mijn specialisatie goede cijfers. De mijne waren zelfs beter dan die van Tom, maar hij is bij Crimpson terechtgekomen. Hoe dat kan? Het is de afgelopen weken, terwijl ik hier lag, tot me doorgedrongen dat ik me nooit erg begaan heb gevoeld met de mensen die ik moest helpen. Ik vind het bijna onmogelijk om me zorgen te maken over een cliënt die het toch al voor de wind gaat: als mensen het zich kunnen veroorloven om Schuster in te huren, dan kan het leed niet al te ernstig zijn. Deze oude mensen zijn een heel ander verhaal, die lijden echt en staan in hun recht. De wet is uitdrukkelijk ontworpen om hen te beschermen. Ik ga niet machteloos toekijken terwijl hun rechten worden geschonden.

Dat ga ik in ieder geval tegen Tom zeggen om te proberen hem aan mijn kant te krijgen. Toen het gesprek met Fay was afgelopen, dacht ik onwillekeurig weer aan mijn afwezige echtgenoot. Laten we er geen doekjes om winden, op een dag, zeer binnenkort, komt hij er toch achter. Hij zal wel vinden dat ik me met dingen bemoei waar ik geen verstand van heb, zal wel zeggen dat ik dom en sentimenteel ben. Misschien denkt hij dat ik mevrouw G. en Alexis help om hem terug te pakken, zijn cliënt onderuit te halen en hem voor schut te zetten tegenover zijn collega's.

Jammer dan.

Als hij bij thuiskomst vraagt wat ik heb gedaan, zal ik het zeggen. Ik ben niet achterbaks van aard. Absoluut niet. Ik zal hem alles vertellen, maar alleen als hij ernaar vraagt. Ik kom er niet uit mezelf mee. Ik doe alleen mijn mond open als hij op me afkomt en zegt: 'Q, we hebben de laatste tijd een paar onnozele ruzies gehad, maar ik hou van je. We krijgen een kind.

Ik wil dat we op één lijn zitten. Hoe gaat het met je?' Als hij dat zegt, is het in orde. Anders niet.

43

Maandag, 7.00 uur

Ik ben vandaag drieëndertig weken zwanger. Tom is al vier dagen weg. Alison logeert hier al tien dagen. Ik lig al drie uur wakker. Twintig minuten geleden heb ik voor het laatst overgegeven.

Tom belde gisteravond laat vanuit Baltimore. Alison was op dat moment ook in de kamer dus ik toverde mijn stralendste glimlach tevoorschijn, vroeg hoe het met mijn schoonouders ging en probeerde voor mijn zus te verbergen dat ik zat te trillen omdat ik misselijk was. Het was een vreselijk rillerig gevoel diep vanbinnen.

Aan Toms bijna hysterisch opgewekte toon merkte ik dat zijn ouders ook binnen gehoorsafstand waren. 'Gaat het goed met de baby? Is alles in orde?' vroeg hij overdreven vrolijk. Hoewel Alison erbij was, sloeg ik mijn ogen ten hemel. Waarom denken mensen dat een zwangere vrouw op de een of andere mysterieuze wijze weet hoe het met haar foetus gaat? 'Nou, ik heb het hem vanmorgen nog gevraagd en hij zei dat het prima ging, maar dat hij zich wel verveelde,' zei ik sarcastisch. Toen ik me bewust werd van Alisons oplettende kleine ogen lachte ik. 'Ha, ha! Geintje. Ik voelde hem vanmorgen nog schoppen, als je dat soms bedoelt. Hoe gaat het met dat huurcontract?' vroeg ik beleefd. Ik kon het niet laten en voegde eraan toe: 'Heb je al lokale bewoners kunnen naaien? Heb je al een paar mooie gebouwen laten slopen zodat er lelijke nieuwbouw voor in de plaats kan komen? Grapje!' zei ik vlug, om het venijn eruit te halen. Ik glimlachte stralend naar Alison, alsof ik haar duidelijk wilde maken dat gevatte opmerkingen in dit huishouden de normaalste zaak van de wereld waren.

Tom hapte naar adem. 'Val dood, Q,' fluisterde hij, woedend. Vervolgens zei hij, alsof er net iemand de kamer in was gelopen: 'Ha, ha! Geintje. Leuk. Heel grappig, hoor.'

Het leek opeens alsof we te ver waren gegaan. Het kwartier daarna bespraken we Toms terugvlucht tot in detail en uiterst beleefd, terwijl Alison door een tijdschrift bladerde (*pats! pats!*) en met haar voet op de houten vloer tikte. 'Nou, schat, ik kan haast niet wachten tot je weer thuis bent,' zei ik tot slot poeslief.

'Ik mis jou ook, lieverd,' antwoordde hij al even onverstoorbaar. 'Ik kijk ernaar uit weer thuis te zijn.' Toen hing hij op.

Mevrouw G. is gistermiddag uit de kerk op bezoek geweest, samen met Alexis, die zich duidelijk slecht op zijn gemak voelde en vroeg of hij problemen had veroorzaakt tussen Tom en mij. Hij was er op het feest achter gekomen dat mijn echtgenoot niet wist dat ik betrokken was bij de actiegroep van de bewoners. Dat andere, dat Tom in hoogsteigen persoon Randalls vertegenwoordigt en dat ik als het ware met de vijand heul, had hij niet begrepen. Ik lachte even vrolijk. 'Natuurlijk is dat geen punt,' zei ik, me weer bewust van Alisons priemende ogen. 'Tom vindt het niet erg. Het is echt geen probleem.' Alexis keek nog steeds bezorgd, maar ik begon resoluut over basketbal. Daar heb ik de afgelopen dagen veel naar gekeken. Alison ergert zich er mateloos aan, maar Alexis ging er meteen op in. We hadden het over de inbreng van de Europeanen in de NBA, de nationale basketbalbond. Mevrouw G. deed ondertussen een dutje en Alison trommelde boos met haar gemanicuurde vingernagels op de tafel.

Na een minuut of tien stond Alison op en kondigde aan dat ze in bad ging. Nadat hij een blik op zijn nog steeds slapende tante had geworpen, boog Alexis zijn goudblonde hoofd naar voren en fluisterde op samenzweerderige toon: 'Die vrouw die hier onlangs was, die vriendin van je, Brianna. Ik hoop dat je het niet erg vindt dat ik het vraag, maar is die vrijgezel?'

Ik rook zijn zeep en zijn huid, zijn chemisch gereinigde kleding en zijn pepermuntshampoo, de geur van een man. Wat mis ik dat! 'Volgens mij wel,' zei ik, waarbij ik iets dichter naar hem toe boog. Ik zag het roze onder zijn gouden huid, die ene lange haar in zijn rechterwenkbrauw, het kleine litteken op zijn voorhoofd, ongeveer een centimeter onder zijn haarlijn. 'Hoezo? Ben je geïnteresseerd in haar?'

Hij bloosde en schonk me een verlegen glimlach. 'Ja, eigenlijk wel. Ik wilde haar mee uit eten vragen, maar ik heb haar niet gezien op je feest. Ik hoop… Zou je me haar telefoonnummer willen geven, dan kan ik… Je weet wel…' Hij viel stil en zijn gezicht werd steeds roder.

Ik glimlachte om zijn onbeholpenheid en schreef vlug Brianna's telefoonnummer op. Ik zei dat hij haar zo gauw mogelijk moest bellen. Brianna verzet zich duidelijk tegen Marks toenaderingspogingen. Daarom moet hij nu toeslaan, voordat haar besluit wankelt. Dat heb ik natuurlijk niet tegen Alexis gezegd. Ik zei alleen dat ik vond dat hij een goede smaak had wat vrouwen betreft. Terwijl zijn tante wakker werd van haar eigen gesnurk, voegde ik er nog aan toe dat ik dacht dat Brianna vast wel met hem uit eten zou willen.

Het heeft iets heel opwindends om twee mensen te helpen een relatie met elkaar te krijgen. Dat zal wel te maken hebben met al dat opgekropte verlangen dat tot uitbarsting zal komen. Dan denk ik weer aan die ongelofelijke begintijd met Tom. (De eerste keer dat ik zijn huid aanraakte, zo glad als karamel. De eerste keer dat ik zijn katoenen overhemd open knoopte en zijn stevige, warme borstkas voelde. De eerste keer dat hij me kuste tot ik stond te trillen op mijn benen. De eerste keer dat ik hem kuste totdat zijn blauwgroene ogen troebel stonden en leigrijs werden.)

Het afgelopen weekend heb ik *Emma* van Jane Austen opnieuw gelezen. Ik snap niet waarom Emma mensen koppelen zo moeilijk vond. Er is niets aan. Volgens mij gaat het de goede kant op. Ik denk dan ook dat ik vandaag het punt 'eenzame alleenstaande vrienden aan elkaar koppelen' kan afvinken op de lijst van dingen die een moderne vrouw gedaan moet hebben voor haar dertigste. Dit is in kannen en kruiken.

10.00 *uur*

Of niet.

Brianna belde net. Ze wil Mark terug.

'Je zult het niet geloven,' begon ze, 'maar je blijkt mijn ex te kennen!'

'O, ja?' zei ik, terwijl ik vermoeid terugviel in de rol van vriendelijke vriendin die van niets wist. 'Goh.'

'Ja,' zei ze. 'Hij was op je feest. Hij heet Mark Kerry.'

'Lieve help. Mijn god. Dat meen je niet!'

'Ik wist dat je zo zou reageren,' zei ze. 'Het zit zo: sinds het feest belt hij me continu. Elke dag. Meerdere keren per dag zelfs. Ik heb hem nog niet teruggebeld. Niet omdat ik daar geen zin in had, maar omdat ik er zeker van wil zijn dat hij me echt terug wil. Als hij dat in een opwelling heeft besloten, hoeft het voor mij niet. Dat vind ik niet eerlijk tegenover zijn vrouw, maar ik denk dat hij echt van me houdt. Gistermiddag heeft hij een bericht ingesproken. Hij zegt dat hij me aanbidt en dat hij me iets moet vertellen. Wat zou dat kunnen zijn, Q? Denk je dat hij toch bij zijn vrouw weggaat? Misschien trek ik overhaaste conclusies, maar toen ik hem dat hoorde zeggen, dacht ik…'

Ik luisterde met stijgende afschuw naar haar overpeinzingen en maakte me eerlijk gezegd ook zorgen over mijn eigen reputatie op het gebied van oprechtheid. Als ze weer bij elkaar komen, zal Brianna doorkrijgen dat ik het al een week wist. Misschien komt ze er zelfs wel achter dat ik al langer op de hoogte was. Dat is natuurlijk niet het belangrijkste nu, maar toch…

'Brianna,' viel ik haar in de rede. 'Ik ken zijn vrouw. Ik ken Lara. Ze is bijna een vriendin van me. Ik kan niet toekijken terwijl jij haar man inpikt. Ze is zwanger, ze heeft twee kinderen en… Hoor eens,' zei ik met toenemende wanhoop, 'Alexis is eerder vandaag hier geweest. Hij heeft je telefoonnummer gevraagd. Hij gaat je bellen. Het is een lekker ding. Hij heeft prachtige ogen, mooi haar en hij is ook nog eens heel aardig.'

'Q,' zei Brianna verbaasd. 'Zo te horen ben je zelf verliefd op hem. Ik hoef hem niet. Ik ben niet geïnteresseerd. Mark is de ware voor mij. Ik heb er begrip voor als je vindt dat we geen vriendinnen kunnen blijven, maar de volgende keer dat Mark belt, neem ik op en doe ik wat hij vraagt, wat dat ook is,' zei ze langzaam en veelbetekenend. Ik hing op.

Zodra ik had opgehangen, raakte ik in paniek. Brianna is een goede vriendin. Laten we eerlijk zijn: ze is mijn trouwste bezoeker. Stel dat Brianna niet meer komt. Wie brengt me dan lekkere lunchgerechten en koekjes? Wie biecht er dan fluisterend details op over opwindende nachtelijke vrijpartijen? Wie vraagt me dan nog om advies over de ingewikkelde danspassen van de romantiek? En wie zal er meelevend mijn problemen aanhoren?

Zonder Brianna heb ik alleen Alison nog. Ik pakte de telefoon en belde haar terug.

'Brianna,' zei ik, 'we zijn toch vriendinnen? Ik wil niet te snel met een oordeel klaarstaan. Kom vanavond langs, dan praten we erover.' Toen zei ze dat ze niet kon. Mark had tijdens ons eerdere gesprek haar voicemail ingesproken en had gevraagd of ze met hem wilde gaan eten bij Le Bernardin.

Wat moet ik nu doen? Lara bellen? Mark? Tom?

17.00 uur

Tom komt vanavond terug uit Baltimore. Alison gaat morgen weer naar Engeland. Binnenkort zijn mijn man en ik dus weer met z'n tweeën.

Ik ben erg gespannen, voel me als de E-snaar van een viool, een zilveren draad die tot het uiterste is opgerekt en net niet breekt. De stemschroef wordt steeds verder aangedraaid. De tonen worden hoger en hoger.

Mijn linkerwijsvinger bloedt hevig. Het afgelopen halfuur heb ik gekeken hoe het bloed verschillende tissues roze heeft gekleurd. Ik heb gisteren in mijn vinger gesneden toen ik een appel wilde schillen. Het is moeilijk om een mes te gebruiken als je op je linkerzij ligt. Ik heb een nieuwe pleister nodig, maar er is niemand die hem voor me kan pakken. Alison is weer gaan winkelen. Ik stort bijna in.

44

Dinsdag, 18.00 uur

Alisons vliegtuig vertrekt vanavond om negen uur van JFK. Ze is een paar minuten geleden vertrokken met twee nieuwe Louis Vuitton-koffers boordevol luxe aankopen: een groene zijden avondjurk van Dior, kasjmiertruien in alle mogelijke kleuren, een ivoren armband met bijpassende oorbellen van Tiffany, een paar prachtige zijden stropdassen voor Gregory en knuffelbeesten voor de kinderen. En dan heb ik het alleen nog maar over de inhoud van één koffer. Ik kan er meteen bij vertellen dat ze haar bemoeizieke adviezen hier heeft achtergelaten.

'Volgens mij ben je met Tom getrouwd, omdat je dacht dat mama zo'n type man zou goedkeuren,' zei ze vanmorgen bij het ontbijt. 'Ha, uit zo'n opmerking blijkt maar weer dat je er niets vanaf weet,' zei ik, terwijl ik een verfomfaaide, met boter besmeerde croissant naar binnen werkte. 'Mama moest aanvankelijk helemaal niets van Tom hebben,' zei ik, waarna ik mijn tanden in een supergroot, kruimelend chocoladebroodje zette.

'Dat weet ik,' antwoordde Alison peinzend. 'Aan de ene kant wilde je haar tevredenstellen daarom en was je op zoek naar een man die gestudeerd had. Aan de andere kant zocht je juist iemand aan wie ze een hekel zou hebben. En wat is het geworden? Een Amerikaanse advocaat. Je relatie met mama is altijd al dubbel geweest, Q. Je hunkert naar haar liefde, maar je wilt ook dat ze je haat, want dan hoef jij je niet schuldig te voelen over de haatgevoelens die je voor haar koestert. Dat is al zo vanaf onze jeugd.'

'Wat kost jouw therapeut per uur?' vroeg ik bezorgd. 'Ik neem tenminste aan dat dit psychologische gewauwel bij hem vandaan komt.'

'Je bent erg agressief,' zei ze kalm. 'Dat komt doordat je altijd met me wilt concurreren. Dat was ontzettend verwarrend toen we klein waren, Q. Je was lief voor me als je wilde dat Jeanie zich miskend zou voelen en je was vreselijk als mama je een rotgevoel had bezorgd. Ik ben inderdaad in therapie geweest en ik vond het jammer toen ik vorig jaar hoorde dat jij was gestopt. Je moet het me maar niet kwalijk nemen dat ik geen blad voor de mond neem, maar je moet met jezelf in het reine komen.'

Ik nam het haar wel degelijk kwalijk en dat probeerde ik haar ook duidelijk te maken, maar ze had zich al op het volgende onderwerp gestort: hoe ik een kind dacht op te voeden als mijn man bijna nooit thuis was. 'Hoor eens, Q,' zei ze ernstig, 'ik ben hier tien dagen geweest en ik heb hem alles bij elkaar ongeveer drie uur gezien. Hij doet alsof dit een hotel is. Pik je dat zomaar? Hoe ga je het in je eentje redden als de baby al vijf uur achter elkaar huilt?'

'Is er ook iets in mijn leven waar je wel een goed woord voor overhebt?' vroeg ik sarcastisch, terwijl ik me afvroeg hoe een vrouw zonder enig waarneembaar talent, met een echtgenoot waar je meer last dan gemak van had en twee onuitstaanbare kinderen het in haar hoofd haalde om mij – voor de zoveelste keer – de les te lezen.

'Ik ben benieuwd wat mama hiervan vindt,' zei ze streng. Ik sloeg mijn ogen ten hemel. Hoe heb ik ooit kunnen denken dat ik die vrouw hier wilde hebben? Kan ik nog voorkomen dat ze komt?

Alison was nog steeds aan het woord. 'Ik weet dat je geen hoge pet op hebt van Gregory – dat heb je heel duidelijk laten merken – maar we hebben een regeling getroffen die we allebei prettig vinden en hij staat volledig achter mijn beeldhouwkunst. Ons huis is een oase van rust, ik zie mijn kinderen vaak en ik ben dol op mijn werk. Je hebt het recht niet om zo kritisch te zijn, Q. En nu we het daar toch over hebben, je hebt vreselijk tegen Jeanie gedaan over Dave. Hij valt best mee en voor zover ik dat kan beoordelen, ben je amper in zijn gezelschap geweest.'

Het vervelendste is natuurlijk dat ze gelijk heeft. Groot gelijk. Ik doe afschuwelijk over Dave, het is niet aan mij om kritiek te leveren op Gregory en mijn man is inderdaad zelden thuis. En nu we toch bezig zijn: mijn vrienden zijn saai, mijn feesten zijn suf en mijn carrière interesseert me niet. 'Tjonge, Alison,' zei ik tegen haar, 'je moet vaker op bezoek komen. Je weet me als geen ander op te vrolijken.'

Hoe het met Tom zit? We gaan heel voorzichtig met elkaar om sinds hij gisteravond om tien voor acht het huis binnen is gestapt. Tom wierp een zijdelingse blik op Alison en zette een doos Godiva-bonbons op mijn schoot. Hij bedankte Alison hoffelijk omdat ze tijdens zijn afwezigheid voor me had gezorgd. Vannacht heeft hij aan de andere kant van het bed geslapen. Volgens mij is er niet eens huidcontact geweest.

45

Ik heb altijd een taal willen studeren, maar op de universiteit koos ik voor een vakkenpakket dat bestond uit politiek, filosofie en economie. Volgens mijn moeder had je daar meer aan. Zulke vakken zouden een potentiële werkgever ervan overtuigen dat ik serieus was. 'Als je die vakken eenmaal hebt gehaald, liggen de banen voor het oprapen. Dan gaan alle deuren voor je open en zullen mensen naar je luisteren. Maar een taal studeren? Dan kun je net zo goed communicatiewetenschappen, huishoudkunde of een ander "soft" vak gaan doen.' Dit was natuurlijk voordat ze verlichting had gevonden door het brengen van de zonnegroet.

Ik heb dus politiek, filosofie en economie gestudeerd, maar ik ben een paar keer stiekem naar binnen geslopen bij colleges poëzie, fictie en literatuurwetenschappen. Ik ben altijd dol geweest op schrijfsters: de zusjes Brontë, George Eliot, Emily Dickinson, Kate Chopin, Virginia Woolf, Sylvia Plath. Velen van hen hebben een tragisch leven gehad en ook dat van hun heldinnen eindigde vaak rampzalig. Dan werden ze happend naar adem meegesleurd in zee en sloot de wereld zich boven hun hoofd in een moment van verdoofde verlossing. Soms ging ik in mijn kamer met mijn gezicht op het tapijt liggen en stelde ik me voor dat ik verdronk in de rivier die ongeveer een kilometer bij ons huis vandaan stroomde. Dan deed ik mijn ogen dicht, liet mezelf zwaar worden en voelde dat de duisternis de overhand kreeg. Deels wilde ik echt sterven, maar dan zonder pijn, zonder te stikken en zonder paniek. Zo fantaseerde ik over mijn overlijden, een ordelijke dood.

Een jongen die twee huizen verderop woonde, verhing zich een paar maanden voordat mijn vader vertrok. In mijn herinnering zijn die twee gebeurtenissen met elkaar verbonden. Het landschap van mijn jeugd veranderde tijdens dat gure voorjaar. Tegen de tijd dat de pioenrozen bij het hek in de voortuin bloeiden, wist ik dat ik eindelijk volwassen was geworden. Die jongen pleegde zelfmoord omdat hij werd gepest, dat gerucht ging althans op school. Hij heette Patrick, was tenger, blond en heel bleek. Hij hing zichzelf op in de schuur, een plek waar hij zelden speelde, waardoor het vierentwintig uur duurde voordat zijn ouders hem vonden. Volgens de kinderen uit de buurt was zijn gezicht paars, was zijn tong zwart en lag zijn hoofd er bijna af, doordat hij zichzelf met een metaaldraad had gewurgd. Ik heb me vaak afgevraagd waarom hij niet gewoon wat bakstenen om zijn middel had gedaan en in de rivier was gesprongen. Hij zal wel wraak hebben willen nemen op zijn ouders, die er niet in waren geslaagd hem te beschermen. Ik heb zelf altijd gedacht dat een ongeschonden lijk meer indruk zou maken. Kijk eens hoe volmaakt ik ben. Kijk dan wat jullie niet hebben gewaardeerd.

Daarna verdween mijn vader en ik heb me een paar weken afgevraagd of hij ook zelfmoord had gepleegd en mijn moeder zijn vertrek had verzonnen. Misschien had ze hem wel vermoord. De gelijktijdige verdwijning van de buurvrouw maakte een einde aan die theorie, tenzij er een complete afslachting had plaatsgevonden en zelfs ik dacht niet dat mijn moeder daartoe in staat was. Maar goed, na een tijdje belde hij op en stuurde hij brieven, waardoor het aannemelijk leek dat hij nog in leven was. Ik was een beetje teleurgesteld.

Als tiener verslond ik boeken over afwezige en tekortschietende vaders. Er was keus genoeg: vaders die hun dochters niet beschermden, hen niet begrepen of ze in de steek lieten. Papa, klootzak, ik heb het met je gehad. Er waren ook vaders die naar het front trokken (*Onder moeders vleugels* van Louisa M. Alcott), zich opsloten in de bibliotheek (*Trots en vooroordeel* van Jane Austen), gewelddadig werden *(De woeste hoogte* van Emily Brontë) of ervoor zorgden dat zeer slechte stiefmoeders hun opwachting maakten (bijna alle sprookjes). Moeders zijn altijd lastig, maar tenzij ze in het kraambed sterven, blijven ze. Dat kun je van vaders niet zeggen.

Als die beseffen dat hun leven niet ideaal is, nemen ze de benen.

46

Woensdag, 19.30 uur

Ik was een ouder stel aan het observeren dat in het gebouw hiertegenover zat te eten, toen Brianna arriveerde. Ze bloosde en haar gezicht had een zachtere uitstraling gekregen doordat haar liefde was beantwoord.

'We hebben gisteren bij Le Bernardin een geweldige avond gehad, Q. Dat valt met geen pen te beschrijven,' zei ze tegen me. Haar ogen straalden bij de herinnering. 'Mark is nog nooit zo lief voor me geweest. Tijdens het hoofdgerecht vertelde hij dat hij de rest van zijn leven bij me wil zijn. Ik weet hoe je over Lara denkt. Mark vertelde dat jullie daar onenigheid over hadden gehad, maar ik zei dat ik de indruk kreeg dat je de ruzie wilde bijleggen. Dat klopt toch, Q? Doe dat, alsjeblieft. Je bent zo'n goede vriendin van me geworden. Ik wil dat je blij bent voor Mark en mij.'

Ik keek haar aan. Ze lijkt in haar warrige, door liefde verdoofde toestand mijn onbetrouwbaarheid niet te merken. Maar dat maakt eigenlijk niet uit. Ik moet beslissen of ik wil breken met de enige echte vriendin die ik nog heb, mijn enige vriendin in een vreemd land. En dat allemaal voor een vrouw die ik niet eens mag? Of is het een principekwestie: dat je een zwangere vrouw niet in de steek laat omdat ze dan de kinderen in haar eentje moet opvoeden?

Mijn zoon schopt steeds en we liggen samen na te denken over onze toekomst. Ik voel zijn hoofdje, de kromming van zijn rug en zijn ronde billetjes door mijn buikwand heen. Ik wil hem graag zien, al denk ik soms dat hij vanwege de huidige kilheid tussen zijn ouders beter in mijn buik kan blijven zitten.

47

Donderdag, 12.00 uur

Vanmorgen ben ik bij de gynaecologe geweest voor een echo. De baby heeft zo hard geschopt dat hij nu in een stuit ligt.

Ik was vanmorgen opeens buiten adem toen ik uit bed probeerde te komen en ik voelde iets hards onder mijn ribben. Het hoofdje van de baby ligt daar nu, een paar centimeter bij mijn hart vandaan. Dokter Weinberg heeft gezegd dat het een keizersnede wordt als hij niet draait.

Tom besloot op het allerlaatste moment toch mee te gaan en ik meende – maar misschien dacht ik dat alleen maar – opluchting in de ogen van de gynaecologe te zien toen ze hem, zwaaiend met zijn aktetas, de spreekkamer binnen zag komen. Toen we te horen kregen dat de baby anders lag, pakte Tom mijn hand. Ik schrok een beetje van de onverwachte aanraking, zijn warme huid op die van mij. 'De baby kan toch weer draaien?' vroeg hij zacht en dringend aan dokter Weinberg. 'Dan kan hij toch op de normale manier worden geboren?' De gynaecologe haalde haar schouders op. 'Dat zou kunnen,' beaamde ze, 'maar baby's met zo weinig vruchtwater om zich heen hebben niet veel ruimte om te bewegen. Het is op zich al een wonder dat hij is gedraaid,' voegde ze eraan toe. 'Het is een vastberaden mannetje, daar ben ik van overtuigd. Hij houdt het spannend.'

Ik vroeg me af wat Tom dacht. Het is veelzeggend dat ik dat echt niet weet.

Keizersnede, grote operatie. Ik word opengesneden en de baby wordt eruit gehaald. Deels ben ik opgelucht. Ik vroeg me af of ik de fysieke inspanning van de bevalling wel zou kunnen opbrengen na wekenlang op bed te hebben gelegen. Maar deels ben ik ontzet. Mijn zus heeft op de normale manier kinderen gebaard, met grote vastberadenheid en zonder een kik te geven. Ze heeft haar kinderen op de wereld gezet als een gezond dier, zonder hulp of ingrepen. Net zoals mijn moeder. Ik herinner me dat we in het ziekenhuis aan Alisons bed stonden en dat mijn moeder kritiek had op bekakte vrouwen die zich te goed voelden voor de pijn die bij een bevalling hoort. 'In wat voor wereld leven we? In mijn tijd zette je gewoon je tanden op elkaar. Van een beetje pijn is nog nooit iemand doodgegaan. Alison weet dat, die heeft tenminste ruggengraat.' Alison, bleek en bekaf, glimlachte naar haar. Toen keek ze naar mij met de zelfvoldane blik van een vrouw die op de proef was gesteld en dat glansrijk had doorstaan. 'Het was zwaar, mama, maar het was de moeite waard,' zei ze braaf. Ik mag dan de tweede dochter zijn, seinde ze naar me, maar ik loop de achterstand al aardig in.

Ik zal passief op mijn rug liggen wachten tot de arts me het kind geeft. Het lijkt wel alsof ik niets van dit babygedoe goeddoe.

Na de afspraak ging ik op een lage ijzeren stang zitten, buiten adem door de inspanning die het had gekost om bij de gynaecologe door de gang te lopen, terwijl Tom een taxi ging regelen. 'Waarom hebben wij dit?' hoorde ik hem zacht mompelen. 'Ik kan gewoon niet… Schiet op, Q,' riep hij harder toen er een lange gele taxi stopte. Hij kwam naar me toe, pakte me onder mijn arm en trok me overeind. 'Ik moet terug naar kantoor. Ik heb de hele middag vergaderingen. Ik ben waarschijnlijk pas thuis als jij al op bed ligt, dus je hoeft niet op te blijven.' 'Alsof ik dat zou doen,' antwoordde ik onvriendclijk, terwijl ik mijn vreselijke figuur op de achterbank hees zonder hem nog een blik waardig te gunnen. Zonder een woord te zeggen smeet hij het portier dicht en liep weg over het trottoir.

Even later haalden we hem in: lange wapperende regenjas, hoofd naar beneden, naar de grond kijkend. Het stoplicht stond op groen en de chauffeur gaf gas. Ik zag de gestalte van mijn man in de verte verdwijnen: die geliefde tred, die krullen die ik vroeger 's morgens bijknipte als we allebei naakt waren en giechelden, kort in de nek, langer bovenop, opgeschoren aan de zijkanten. Toen ik reikhalsde om op de hoek door de linkerbovenhoek van de autoruit naar hem te kijken – een kleine gestalte die amper opviel in de menigte – meende ik (of was het verbeelding?) een lange blonde vrouw in een rood mantelpakje te zien die met een vertraagde reactie over haar schouder naar hem omkeek. Elke vrouw zou denken: tjonge, wat een knappe vent. Rijk, aantrekkelijk, fatsoenlijk. Zou hij vrij zijn? Dat dacht ik vroeger namelijk ook.

Ik zuchtte en ging weer normaal zitten. Even later betrapte ik mezelf erop dat ik knarsetandde en toen de taxi hard remde voor een rood stoplicht, klemde ik mijn handen zo stevig om de veiligheidsgordel heen dat de snee in mijn vinger weer openging. Er viel een druppel bloed van het topje af die op de richel bij de raam van de taxi terechtkwam. Het leek iets uit een sprookje. Uit Sneeuwwitje of Doornroosje. Misschien beval ik binnenkort van een kind met een huid zo wit als sneeuw en lippen zo rood als bloed. Of misschien val ik in een betoverde slaap en word ik honderd jaar gescheiden

van mijn familieleden en iedereen die me dierbaar is.
Wacht, dat is al gebeurd.

48

Lottie, een vroegere vriendin van me uit Londen, heeft pasgeleden een sprookjesboek opgestuurd, een dikke pil met rennende meisjes met blauwe ogen en knielende groene trollen op de voorkant. *Vele jaren voorleesplezier toegewenst bij het naar bed brengen*, had ze met blauwe pen met grote halen op het schutblad geschreven. Toen ik klein was, was ik dol op sprookjes. Als kind zoek je steeds de grens op tussen schijn en werkelijkheid. Je weet niet zeker of demonen en elfjes echt bestaan, of er met kerst een dikke man door de schoorsteen glijdt die een grote zak cadeaus komt brengen en of je moeder niet misschien een vermomde heks is. Sprookjes zijn handig, omdat ze al die ideeën onder woorden brengen. Er hoeft maar iets te gebeuren of mensen veranderen in dieren. Wolven met rode ogen, kwijlende tongen en een genotzuchtige voorliefde voor kleine kinderen houden zich schuil op donkere plaatsen. De afgelopen dagen heb ik de sprookjes weer eens gelezen en ik vraag me toch af wat kinderen daar uiteindelijk van opsteken. Voor brave mensen lijkt het altijd goed af te lopen: prinsen en prinsessen trouwen en slechteriken wacht een afgrijselijke, huiveringwekkende dood. Meer zullen kinderen wel niet kunnen verwerken, maar het is natuurlijk geen getrouwe weergave van de werkelijkheid. We leren onze kinderen dat alles goed komt als je vriendelijk bent en je goed gedraagt, maar we weten allemaal dat dat niet klopt. Vervelende dingen gebeuren toch. Prinsen en prinsessen mogen dan heel veel van elkaar houden – zo veel zelfs dat het pijn doet – maar dat betekent niet dat ze daarna nog lang en gelukkig zullen leven.

49

Vrijdag, 13.00 uur

Overal over mijn buik lopen paarse zwangerschapsstriemen. Het lijkt wel of er de afgelopen vierentwintig uur tientallen bij zijn gekomen. Aan de ene kant vind ik het een afschuwelijk gezicht, aan de andere kant zou ik tevreden en opgelucht moeten zijn, want striae zijn een uitwendig teken dat de baby groeit. Het moet wel goed met hem gaan als hij zo snel groeit.

Lara is vanmorgen na het ontbijt op bezoek geweest. Ik sloeg mijn ogen ten hemel toen ik haar bij de deur mijn naam hoorde roepen, maar ik hoorde een vreemde hapering in haar stem toen ze vroeg: 'Q, mag ik binnenkomen?'

Eén blik op haar gezicht was genoeg om te weten dat mijn vermoeden klopte. Het was meteen duidelijk dat ze erachter was gekomen dat Mark een ander heeft. Er liepen diepe nieuwe rimpels rond haar mond.

'Ik heb een probleem, Q,' zei ze, toen ze aarzelend midden in de zitkamer bleef staan. 'Ik weet niet wat ik moet doen.'

'Ga zitten,' zei ik. Ze liet zich in de leren fauteuil zakken zonder haar lange designjas met ceintuur uit te trekken. Ze zat in elkaar gedoken, met haar handen diep in haar zakken, en keek naar de vloer.

Lara is een irritante, egoïstische vrouw, maar ik had toch met haar te doen. Ze zag er vreselijk uit. Ze draagt haar haar meestal in een hoge, vlotte paardenstaart. Vandaag was het futloos en ongewassen en driekwart was uit de zilveren haarklem ontsnapt en hing slap rond haar gezicht. Haar huid was dof en vermoeid. Dat heb je als je geen tiener meer bent en slecht hebt geslapen. Haar nagels waren afgekloven en haar huidkleurige panty rimpelde bij de knieën. Ze zag eruit alsof iemand haar langzaam aan het demonteren was.

Ik nam dit allemaal in me op, terwijl ze zwijgend voor zich uit staarde, wat een schril contrast vormde met de laatste keer dat ik haar had gezien. Nadat het een tijdje stil was geweest, slikte ze moeizaam. Toen zei ze tegen het tapijt: 'Mark heeft me gisteravond verteld dat hij een ander heeft en dat hij bij me weggaat.'

Ik wist niet goed hoe ik moest reageren, maar toen besefte ik dat het haar toch niets kon schelen wat ik zou zeggen. Ze ging te veel op in haar eigen verdriet.

Ze sloeg haar handen met een vermoeid gebaar voor haar ogen. 'Blijkbaar is het al bijna een jaar aan de gang en nu wil hij opnieuw beginnen met deze vrouw. Ik… Je zult je wel afvragen waarom ik dit in hemelsnaam vertel, maar ik hoop eigenlijk dat een van jullie met Mark wil praten, hem misschien kan overhalen me niet in de steek te laten.' De vraag bleef tussen ons in hangen.

Mijn hemel, dacht ik.

'Ik heb geen enkele invloed op Mark,' zei ik na een tijdje zwakjes, 'maar als je denkt dat het wat uithaalt, wil ik best met hem gaan praten. Ik zal het ook aan Tom vragen. Ik weet alleen niet of hij het zal doen.' Ze knikte machteloos. 'Ik verwacht geen wonderen, maar ik moet alles proberen. Echt alles. Hij zei dat hij vannacht in een hotel zou slapen,' voegde ze er met een verbitterd lachje aan toe, 'maar ik weet zeker dat hij naar haar toe ging.' Het was alsof ze op een vreemde manier tot deze vernederende bekentenis werd gedwongen, alsof ze de wond moest openrijten en aan mij moest laten zien. 'De kinderen vroegen wat er aan de hand was. Ik heb gezegd dat hij op zakenreis is. Ik weet niet hoe ik hun moet vertellen dat hij niet meer naar huis komt.' Haar stem stokte en brak.

Ik zat naar haar te kijken terwijl ze snikte. Ik kon verder niets doen.

Uiteindelijk hapte ze moeizaam naar adem, stond op en veegde haastig haar neus af aan haar mouw. 'Sorry, Q. Ik weet zeker dat dit wel het laatste is waar je op zit te wachten,' zei ze, met een flauwe glimlach om haar mond. 'Je bent een goede vriendin. Wij vrouwen steunen elkaar, hè?'

Ik glimlachte ongemeend terug en voelde me een kreng. Ik vertelde haar natuurlijk niet dat ik dik bevriend ben met de minnares van haar echtgenoot en ook niet dat ik onopzettelijk een rol heb gespeeld bij de hereniging van haar man met zijn geliefde. Dat kon ik toch niet zeggen?

17.00 uur

Ik lag nog over Lara te piekeren toen mijn moeder dolenthousiast belde om te zeggen dat ze haar vliegticket had geboekt. 'Via internet, lieverd. Je kunt er van alles kopen. Daar sta je versteld van. En weet je, dit ticket is ook nog veel goedkoper dan wanneer ik het hier in het dorp bij Johnsons had gekocht.' Ze heeft ook een nieuwe garderobe aangeschaft. Ze denkt misschien dat je in Amerika geen kleren kunt kopen of dat we een zeker stijlniveau van onze gasten verwachten. Ik weet niet wat de reden is. Ze heeft ook een flinke stapel reisgidsen gekocht, want ze wil de toeristische trekpleisters bezoeken. 'Ik heb opgeschreven wat ik wil zien en waar het is. Dat heb ik allemaal aangekruist in een foldertje met gekleurde vakken. Dit staat in het blauwe gedeelte. Ik zal opnoemen waar ik naartoe wil en dan moet je het maar zeggen als ik iets ben vergeten: Empire State Building, Staten Island Ferry, Ellis Island, Grand Central, Central Park, Chrysler Building, GroundZero, Museum of Modern Art, Whitney Museum of American Art, Metropolitan Museum of Art, New York Public Library, Times Square, Soho, WestVillage, UpperWestSide, Harlem, Queens, Brooklyn, the Bronx… Als je wat bent opgeknapt,' vervolgde ze opgewonden, 'kunnen we misschien langere tochten maken.' Ze zweeg even. 'Ik heb altijd al naar Maine gewild. Denk je dat dat zou kunnen, lieverd?'

Ik hapte naar adem. Ik wilde de pret niet bederven nu ze opeens zo enthousiast was, maar Maine? 'Dat is een behoorlijk eind rijden, mama,' zei ik zacht. 'Het duurt zes tot zeven uur om er te komen en ik weet niet hoe de baby zich zal houden.'

'Zou het echt zo ver zijn?' vroeg ze. Ze klonk moedeloos, maar toen zei ze met terugkerend zelfvertrouwen: 'Je hebt het mis, lieverd. Het is vast veel dichterbij.'

'Mama, het is echt…'

'Ik weet zeker dat het dichterbij is,' zei ze stellig, alsof ze, als dat nodig was, er hoogstpersoonlijk voor zou zorgen dat dat het geval was. 'Dat moet in twee uur te doen zijn. We zetten Maine gewoon op de lijst. Als we een dag over hebben, kunnen we langs de kust rijden en daar ergens gaan lunchen. In mijn reisgids staat een heel leuk restaurant…'

Ik neem dus maar aan dat ze uitkijkt naar haar bezoek, al zijn haar zorgen niet helemaal verdwenen. Ze vertelde dat ze steunkousen had gekocht om trombose tijdens de vlucht tegen te gaan. Ze had ook een masker aangeschaft voor het geval degene naast haar in het vliegtuig grieperig leek. 'Je weet nooit of het wel een gewoon griepje is!' zei ze licht verontwaardigd. 'Misschien is het wel wat die arme mensen in China hebben en er heerst ook vogelgriep. Je kunt tegenwoordig niet voorzichtig genoeg zijn.' Verder heeft ze een heuptasje gekocht om haar waardevolle spullen in op te bergen. Dat gaat mijn verstand echt te boven, want haar trouwring is van Mexicaans zilver en ze draagt een gehavend Timex-horloge met een rafelig stoffen bandje. Tot slot, je lacht je naar, een busje pepperspray voor als ze wordt aangevallen. 'Je kunt hem ook gebruiken als misthoorn, zaklamp en radio,' zei ze ernstig. 'Het is echt een heel handig ding.'

50

Middernacht

'Ik moet met je praten,' zei Tom een paar uur geleden toen ik in de badkamer op de houten kruk bij het fonteintje zat om mijn tanden te poetsen.

Ik haalde diep adem. 'Ga door,' zei ik bedaard, terwijl ik dacht: eindelijk. Het gaat er dan toch van komen. Sinds hij terug is uit Tucson en Baltimore heeft hij ontstellend veel tijd op kantoor doorgebracht en als hij thuis is, doet hij pijnlijk beleefd tegen me en dat is best eng. Ik weet niet wat ik tegen hem moet zeggen als hij zo'n bui heeft. Ik weet niet eens hoe ik moet beginnen. Hij lijkt een matglazen raam, een afgesloten gewelf, een verzegelde brief.

Hij leunde met zijn billen tegen de toilettafel, sloeg eerst zijn benen en daarna zijn armen over elkaar en staarde voor zich uit. Ik hoorde zijn ademhaling oppervlakkig worden. 'Q, een tijdje geleden, in het ziekenhuis, heb je me gevraagd om ontslag te nemen bij Crimpson. Daarna hebben we nog een keer ruzie gehad voordat ik wegging… Ik heb diep nagedacht over alles wat je hebt gezegd en je moet weten dat ik daar niet toe bereid ben. Om ontslag te nemen dus. Partner worden bij Crimpson is het allerbelangrijkste in mijn leven en toen ik dat besefte…' Hij zweeg. De wereld stond stil.

'Toen ik dat besefte, drong het tot me door…'

'Ik snap het niet,' zei iemand. Aan het naar pepermunt smakende schuim dat van mijn kin af droop, wist ik dat ik het zelf was.

Ik legde de tandenborstel neer en pakte de zachtgroene handdoek die door een ring hing die aan de muur was bevestigd. Ik veegde mijn mond af. Er klonk een raar geluid in mijn oren, alsof er een enorm gordijn in tweeën werd gescheurd.

Het duurde even voordat ik doorhad dat Tom nog steeds aan het woord was. Ik verstond hem niet, maar ik zag zijn lippen bewegen in de schuine, ovale spiegel aan de muur ertegenover. 'Ik kan je niet volgen,' zei ik tegen hem. 'Ik hoor je niet. Je moet opnieuw beginnen, want ik moet weten of je me in de steek gaat laten.'

Hij draaide zich om en keek me aan. Ik zag dat er tranen in zijn ogen stonden. Zijn ogen hebben dezelfde kleur als de zeep in het zeepbakje, de wandtegels, de deur naar de douche, zeegroen, blauwgroen, mijn lievelingskleur. 'Je in de steek laten? Verdorie, Q, dat bedoel ik helemaal niet. Ik weet niet wat ik moet doen. Ik weet alleen dat ik geen genoegen neem met een flutbaantje bij een onbeduidend bedrijf. We weten allebei dat ik niet zomaar een baan kan aannemen. Ik hoef pas minder uur te werken als ik een flinke stap terug doe op de carrièreladder. Jij zult dat misschien niet erg vinden, maar ik wel. Bij Crimpson gaat het om grote klanten en belangrijke kwesties. Ik weiger om me maand in, maand uit met dezelfde vijf zaken over ruimtelijke ordening bezig te houden. Dat kan ik niet, Q. Het spijt me. Wat moeten we nu?'

'Dat weet ik niet,' zei ik vermoeid. Ik stond langzaam op. Omdat ik niet wist wat ik anders moest doen, draaide ik mijn rug naar hem toe, liet hem alleen in de badkamer achter en kroop in bed, als een dier dat zich terugtrekt in zijn hol.

Tom stond in de deuropening naar de badkamer en keek me aan. Op zijn gezicht lag een mengeling van bezorgdheid en ergernis. Ik trok het dekbed over mijn hoofd en sloot mijn ogen in de hete, verstikkende duisternis.

'Q, luister alsjeblieft naar me.' Hij leek heel ver weg. Ik hield de rand van het dekbed een klein beetje omhoog. 'Ik kan niet tegen je liegen. We vormden altijd een eenheid, jij en ik, zijn altijd eerlijk tegen elkaar geweest. Ik kan niet net doen alsof ik gelukkig zal zijn met een andere baan. Of wel soms?'

Ik dacht hierover na. Het klonk aannemelijk, maar er zat een zwakke plek in het verhaal. O, ja! Er is een kind op komst.

'We krijgen binnenkort een baby,' zei ik, met een stem die gedempt werd door het dekbed. Ik tilde het iets verder op om te zien wat voor effect mijn woorden hadden.

'Dat weet ik,' zei hij ongeduldig. Hij begon door de slaapkamer te ijsberen. 'Natuurlijk weet ik dat, maar dat betekent toch niet dat ons leven ophoudt? We hoeven toch niet alles op te geven wat we belangrijk vinden? In het begin zal de baby amper merken dat ik er ben. Volgens mij maakt het weinig uit of ik 's avonds thuis ben of niet.'

'Maar je gaat er zeker wel van uit dat ik thuis ben?' vroeg ik woedend. Ik probeerde te gaan zitten en me te bevrijden van het zware dekbed, maar dat kostte moeite. 'Of denk je dat de baby gelukkig zal zijn als we allebei weg zijn?'

'Ik kan je niet volgen,' zei hij verbijsterd. 'Ik heb geen idee wat nu eigenlijk het probleem is en waar dat opeens vandaan komt. We hadden afgesproken dat we kinderopvang zouden regelen, dat we een kindermeisje zouden nemen. Dat hebben we altijd gezegd. Het zou dus inderdaad kunnen dat we allebei aan het werk zijn.'

'We zijn de hele dag, alle dagen van de week, allebei aan het werk en zien de baby nooit. Is dat hoe jij het je voorstelt? Denk je dat ik, na dit hele gedoe van hem negen maanden gedragen te hebben waarvan ik er drie plat heb moeten liggen, zonder blikken of blozen de deur uit loop en hem de godganse dag aan een vreemde overlaat?' schreeuwde ik. Ik pakte een kussen en gooide dat naar zijn hoofd om mijn standpunt kracht bij te zetten. 'Denk je dat nou echt?'

'Eh… ja,' zei hij, terwijl hij rustig het kussen opving en bij het voeteinde neerlegde. 'Dat denk ik inderdaad. Zo doen mensen dat.'

'Nee, zo doen mensen dat niet,' schreeuwde ik zo hard dat mijn keel er pijn van deed. Ik had het gevoel dat mijn strottenhoofd werd dichtgeknepen. Mijn stem klonk verstikt en hees, als de stem van iemand anders, helemaal niet als mijn eigen stem. 'Dat doen mensen niet. En als dat wel zo is, dan is dat vreselijk. Kinderen willen hun ouders zien. Het gaat niet om het contact tussen moeder en kind, maar om dat tussen ouder en kind. Snap je? Het kan me niet schelen wat we maanden geleden hebben afgesproken. Dat doet er nu niet toe, alles is veranderd. Snap dat dan! We krijgen een kind, Tom. Wanneer dringt dát eindelijk eens tot je door?' Mijn stem stokte en ik begon zacht en zielig te huilen. Waarom komen de tranen altijd uitgerekend als we kalm en beheerst willen lijken? Maar de zwangerschapshormonen speelden op. Het was net een gigantisch nat web, plakkerig, verstikkend en onontkoombaar. Ik probeerde de draden weg te vegen, maar dat lukte niet. De snikken zaten diep vanbinnen. Het web lag over mijn gezicht en ik kreeg bijna geen lucht.

Mijn man stond naar me te kijken. Zijn vermoeide ogen gespannen en somber.

'Q, er zit een gekke kronkel in je gedachtegang,' zei hij uiteindelijk. 'Als je met het idee speelt om ontslag te nemen bij Schuster en thuis te blijven, dan is dat bespreekbaar, hoewel ik er niet van overtuigd ben dat dat echt is wat je wilt. Wat mezelf betreft: ik heb genoeg collega's met kinderen die het op de een of andere manier klaarspelen. Het is niet ideaal, maar ze overleven. Als ze tijd hebben, krijgen hun kinderen alle aandacht en ze hopen dat die dat zullen begrijpen. Later, als ze de top hebben bereikt, maken ze dat goed tegenover hun kinderen en hun vrouw. Dat ga ik ook doen. Ik wil hoe dan ook partner worden bij Crimpson. Ik wil je niet van streek maken, Q, maar je moet goed begrijpen dat ik mijn baan niet opzeg.' Hij draaide zich om en liep de slaapkamer uit.

Ik heb vanmiddag naar *Oprah* gekeken. Het onderwerp was: een huwelijk voor het leven. De gasten, die hun hand discreet op de knie van hun partner lieten rusten (de vrouwen met kralenkettingen en zelfgebreide truien, de mannen in slecht zittende pantalons) waren het erover eens dat je de romantiek niet uit het oog mocht verliezen. Help me alsjeblieft, Oprah, want een kandelaar en een sexy negligé zullen niet voldoende zijn om mijn huwelijk te redden.

 **51**

Zaterdag, 8.30 uur

Toen ik een uur geleden de keuken binnen strompelde, stond er een briefje tegen het zoutvat. Een vreselijk moment dacht ik dat hij me voorgoed had verlaten en dat erop zou staan: *Q, ik heb voor mijn werk gekozen. Voed het kind dan maar alleen op.* Maar er stond alleen dat hij misschien tot laat in de avond moest overwerken en, alsof hij daar later pas aan had gedacht, dat ik maar moest bellen als ik iets nodig had.

Dat ga ik natuurlijk niet doen.

Lees de gedichten van Sylvia Plath in *Ariel* als het leven je zwaar valt. Het is altijd prettig om te weten dat iemand zich nog wanhopiger heeft gevoeld.

✿

23.00 uur

Tom kan zich er nauwelijks toe zetten naar me te kijken, maar vijf minuten geleden kwam hij onverwachts thuis met een grote citroentaart die hij op het tafeltje naast de bank neerzette. Daarna ging hij de badkamer in om zich vlug te douchen en andere kleren aan te trekken. Hij zei kortaf dat hij over een halfuur teruggaat naar kantoor.

Ik weet niet wat ik van dit gebaar moet denken, al weet ik heus wel wat ik met de taart moet doen. Ik heb de helft al in mijn mond geschoven en hij is ongelofelijk lekker. Het deeg is luchtig en kruimelig, de crème smelt in je mond en de citroen sist en bruist op je tong. Wat heeft dit te betekenen? Krijg ik dit in plaats van liefde?

Het lijkt in ieder geval geen teken dat hij van gedachten is veranderd, dat hij de intimiteit met een aan bed gekluisterde Q nieuw leven wil inblazen. Hij zette de taart met een plof naast me neer, legde zijn aktetas op de bank en stampte toen met een gesloten uitdrukking op zijn gezicht naar de slaapkamer.

Ik keek rancuneus naar de aktetas. Rechthoekig, hard, donkerkastanjebruin, met glimmende bronzen sloten. Altijd in zijn armen, altijd bij hem, een cadeau van zijn vader omdat hij de baan bij Crimpson had gekregen. 'Een aardige baan, zoon, heel aardig, maar het haalt het niet bij hersenchirurgie. Ha, ha!' Ik haat die aktetas, dat heb ik altijd al gedaan. Er is niets zachtaardigs aan en hij herinnert me constant aan Peters zeer hoge maatstaven, aan zijn kille superioriteit en aan zijn neerbuigende houding tegenover mij, alsof hij denkt: ach, het is maar een vrouw. Vroeg of laat komt ze tot inkeer, beseft ze hoe belangrijk haar baarmoeder is en gaat ze terug naar de keuken waar ze thuishoort. Bij sommige mannen heb je het idee dat ze je uitkleden met hun ogen. Bij Peter heb ik altijd het gevoel dat hij mijn huid afstroopt. Als hij naar me kijkt, krijg ik het akelige gevoel dat hij mijn opperhuid verwijdert en naar mijn ingewanden kijkt, dat hij zijn hand in mijn lichaam steekt en mijn hart, baarmoeder en lever bevoelt, ze inspecteert om te zien of ze wel voldoen aan zijn strikte voorschriften. Dat is een heel onprettige ervaring.

Toen bedacht ik opeens iets vreselijks. Tom werkt voor de vijand. In zekere zin ís hij de vijand. Wat weerhoudt me ervan om zijn aktetas te openen (ik ken de code van het cijferslot) en te kijken of er documenten over Randalls in zitten? Bijvoorbeeld iets wat bewijst dat Randalls het verhaal over die giftige schimmels als smoes gebruikt om de verplichtingen ten opzichte van de huurders met een vaste huur niet te hoeven nakomen?

Even was ik zo opgewonden dat ik alleen maar naar het geluid van het stromende water in de verte luisterde en dacht: ik zou het nu kunnen doen. Het duurt minstens vijf minuten voordat hij terugkomt. Maar ik deed natuurlijk niets. Zoiets zou voor mij als advocaat volkomen onethisch zijn. En het mag dan niet expliciet gevraagd worden tijdens de huwelijksvoltrekking, maar in feite ligt in de trouwbelofte besloten dat je je echtgenoot niet verraadt. In goede en kwade dagen, in voorspoed en tegenspoed, alle seizoenen van het leven.

52

Maandag, 14.00 uur

Er zijn andere manieren om mijn doel te bereiken. Ik heb vanmorgen een overzicht gemaakt van de misstappen van Randalls en ik zal tegen Fay zeggen dat ze mijn verslag naar *The New York Times* en een paar lokale tv-zenders moet sturen.

Randalls heeft een sloopvergunning aangevraagd voor het huidige, uit de jaren veertig van de vorige eeuw daterende gebouw dat momenteel onderdak biedt aan een bloeiende Griekse gemeenschap. Randalls wil dit gebouw vervangen door een dertig verdiepingen tellend appartementencomplex voor yuppen. De juridische vertegenwoordigers van Randalls – te weten Smyth & Westlon en Crimpson Thwaite, laatstgenoemde is een van de grootste advocatenkantoren in New York op het gebied van onroerend goed – zijn zich óf niet bewust van het onethische gedrag van hun cliënt, óf ze steunen diens pogingen om het gebouw te ontruimen door de huurders valse informatie te verstrekken.

Dat moet reacties uitlokken. Voor het gebouw kunnen foto's worden genomen van mevrouw G. en haar vrienden, die er indrukwekkend uitzien maar triest kijken, het ware gezicht van New York, hardwerkende immigranten die het verdienen om onbezorgd van hun oude dag te genieten.

Mijn moeder komt morgenmiddag aan. Ze zal wel denken dat de listen van Randalls schering en inslag zijn in een stad als New York. Ze gaat er vast van uit dat de meeste huisbazen hun weerspannige huurders onder het asfalt van de dichtstbijzijnde snelweg begraven.

15.00 uur

Verdorie! Lucille, Toms moeder, heeft zojuist gebeld. Peter is vandaag in New York voor een congres. Lucille is meegekomen uit Baltimore en ze willen vanavond bij ons komen eten. Dat kan er ook nog wel bij. Een overdaad aan ouders.

Ik heb Lucille al een jaar niet gezien. We hebben Peter vijf maanden geleden nog ontmoet. Hij was toen ook op een congres voor chirurgen en we hebben met hem geluncht. 'Theo vindt het geweldig dat je je vrouw eindelijk zwanger hebt gemaakt,' zei hij joviaal tegen zijn zoon. Theo was een oude schoolvriend van Tom. Ik verslikte me bijna in mijn soep, van boosheid. 'Zwanger hebt gemaakt?' Alsof een vrouw om in verwachting te raken alleen maar op haar rug hoeft te liggen, zodat haar man zijn sperma bij haar naar binnen kan spuiten. Lucilles stem klonk zoals altijd lijzig en nasaal aan de telefoon. Ze heeft een licht Bostons accent, waardoor je extra w's tussen de klinkers en medeklinkers hoort. 'We vinden het vreselijk dat we jullie de afgelopen maanden niet hebben gezien,' zei ze kalm. 'Maar Tom zei dat we niets voor jullie konden doen en we hebben het ontzettend druk gehad.' 'Mmmm,' zei ik. 'Dat geloof ik graag. Tom heeft me alles over het concert van de cantorij verteld. Het klonk als een uitputtingsslag.'

'Dat was het ook,' zei ze. Ze klonk wat wantrouwig, hoewel ik het niet sarcastisch had bedoeld. 'Je hebt vast wel gehoord dat Peter een boek heeft geschreven over de nieuwste technieken op het gebied van harttransplantaties. Ik heb het samen met hem geredigeerd en dat was een behoorlijke klus. De uitgever wilde dat hij het manuscript tienduizend woorden zou inkorten, maar volgens mij stond er geen woord te veel in. De uitgever hield echter voet bij stuk.'

Ik luisterde niet meer en keek naar mijn teennagels, die ik nu alleen kan zien als ik mijn voet omhoogbreng en mijn hoofd draai. Ze moeten worden geknipt, maar dat zal moeten wachten tot na de bevalling. ('Hij is zo getalenteerd, kan zo goed schrijven, helder en toch stijlvol...')

Komen pedicures eigenlijk ook aan huis? Ik reikte met moeite naar het telefoonboek op de onderste plank van de bijzettafel.

Eens kijken bij de P van pedicure. Nee maar, die rubriek staat erin. Je zoekt je als buitenlander rot in de *Gouden Gids*. Ik geef het je te doen om aan te voelen wat men in een ander land een vanzelfsprekende indeling vindt. Als je croissanterieën zoekt, word je doorverwezen naar Broodjeszaken en babysitters vind je onder Oppascentrales. En meer van dat soort dingen. De geautomatiseerde inlichtingendiensten bellen is ook een ramp, want de robotachtige vrouw aan de andere kant van de lijn verstaat mijn accent niet. Ik betrap mezelf er vaak op dat ik met een lijzig Amerikaans accent praat om haar tevreden te stellen. Niet te geloven! Er staan zelfs pedicurcs in die aan huis komen. Misschien laat ik mijn handen ook wel doen. En mijn haar! Wat een goed idee. Ik ben al maanden niet naar de kapper geweest. Zal ik ook een massage regelen?

Ondertussen praat Lucille gewoon door. ('Zijn collega's zeggen dat ze niemand kennen die zo helder communiceert en zo'n feilloos taalgevoel heeft...')

Ze zijn dus over drie uur hier om me horendol te maken, maar ik heb in ieder geval voor een hele week afspraken voor uitgebreide lichaamsverzorging in mijn agenda genoteerd staan. Tom heeft beloofd dat hij een paar uur vrij neemt om thuis te zijn als zijn ouders komen. 'Als je denkt dat ik die twee in mijn eentje ga vermaken,' zei ik tegen hem, 'dan heb je het mis. Ik sta niet eens op om de deur open te doen. Als je om zes uur niet thuis bent, staan je ouders dus een groot deel van de avond beneden in de hal. Begrepen?'

21.00 uur

'Hoor eens,' fluisterde Lucille op vertrouwelijke toon tegen me toen we aan de koffie zaten, 'Tom heeft verteld dat je misschien gaat stoppen met werken. Is dat waar?'

Ik keek naar haar en toen naar Tom, die een groot glas whisky met ijs voor zijn vader inschonk en de opmerking niet gehoord leek te hebben. 'Ik... We weten nog niet wat we gaan doen als de baby er is,' zei ik met tegenzin.

Lucille knikte. Ik hoorde haar oorbellen met pareldruppel ergens in haar geparfumeerde krullen tinkelen. 'Natuurlijk,' zei ze vlug. 'Het is voor mij, beter gezegd voor ons, altijd zonneklaar geweest dat je zou stoppen met werken als de baby er is.' Ze legde opeens met een zelfvoldane, bezitterige glimlach haar hand op mijn buik, waardoor ik zin kreeg om te gillen. Ik kromp ineen, maar daar leek ze niets van te merken. Haar hand bleef op mijn navel liggen, plakkerig warm, opdringerig, wit en slap en bedekt met juwelen: de hand van een rijke oude vrouw.

'Hij moet op de eerste plaats komen,' zei ze kalm. 'Zo werkt dat als je moeder bent.'

'Tom gaat misschien weg bij Crimpson,' zei ik opeens. En ik weet niet hoe het kan, maar dit hoorde mijn man wel. 'Wát?' vroeg Peter met stokkende stem. 'Wát?' bracht Lucille hortend uit. Hun woorden en schrik bleven in de lucht hangen, opvallend als een rode ballon. Ze keken me alle drie met open mond aan, drie paar grote ogen in bleke gezichten, maar ik wist niet wat er door hun hoofd ging.

'Ja,' zei ik vlug, 'hij gaat misschien weg bij Crimpson vanwege de werktijden, omdat hij meer bij zijn zoon wil zijn. Je hebt gelijk, Lucille.' Ik haalde haar hand van mijn buik af, maar dat leek ze amper te merken. 'Ons kind moet nu op de eerste plaats komen. Daarom overweegt Tom om bij zijn huidige werkgever weg te gaan en een baan te zoeken die minder veeleisend is, minder…' Ik zweeg.

Tom was de eerste die wat zei. Hij zette zijn glas langzaam op tafel en keek zijn vader aan. 'We hebben de opties serieus tegen elkaar afgewogen,' zei hij bedaard en neutraal tegen Peter, terwijl de huid rond zijn ogen bleek zag en strak stond, 'inclusief de mogelijkheid dat ik ontslag zou kunnen nemen bij Crimpson. Na rijp beraad denken we echter dat dit niet de beste oplossing is.' Peter en Lucille bliezen hoorbaar hun adem uit. 'Q wil dat ik het zeker weet. Ze wil niet dat ik alleen vanwege het salaris blijf. Ik waardeer haar steun heel erg,' voegde hij eraan toe. Hij keek me aan. Zijn blauwgroene ogen leken bijna zwart, zoals de lucht eruitziet vlak voor een zware storm. 'Ik kan altijd op haar rekenen. Altijd.'

Onze blikken kruisten elkaar even en toen keken we precies tegelijk een andere kant op. Peter knikte verstandig. 'Het is goed om grondig over dingen na te denken, jongen,' zei hij ernstig, 'maar het laatste waar je op zit te wachten als je een kind krijgt, is een fors verlies aan inkomen.' Alsof mijn salaris een zakcentje is waar je de rekening van de stomerij amper van kunt betalen. 'Kinderen hebben iemand nodig om tegenop te kijken,' voegde hij eraan toe toen hij eenmaal op dreef was. 'Ze willen een sterke vaderfiguur. Vooral jongens.' Hij gaf Tom een klap op diens schouder. 'Je hebt mijn advies natuurlijk niet nodig, maar als je erom zou vragen, zou ik zeggen dat je in de tredmolen moet blijven lopen, gewoon moet volhouden.' Zijn lippen krulden op tot iets wat op een glimlach leek, zodat je zijn puntige, te witte tanden zag. 'Je zoon zal je er later dankbaar voor zijn dat hij de beste opleiding in de stad zal kunnen volgen en een vader heeft op wie hij trots kan zijn. Snap je?'

Tom knikte.

Ik deed mijn mond open en gilde, maar blijkbaar heb ik dat niet echt gedaan, want ze nipten alle drie van hun glaasje alsof er geen onvertogen woord was gevallen.

53

Dinsdag, 22.00 uur

Eerder op de avond heb ik twintig minuten ongeoorloofd, en nog gevaarlijk ook, op de vensterbank gezeten om naar de zonsondergang te kijken, om te zien hoe de oranje en gele tinten langzaam weken voor groene en blauwe nuances. Het is nog steeds niet helemaal donker. Een azuurblauw schijnsel bevestigt dat de dagen langer worden. Misschien is het buiten wel warm. Mensen dragen truien en vesten in plaats van jassen. Ze lopen ook langzamer, haasten zich niet langer over straat, maar slenteren hand in hand, met hun schouders naar achteren en met zwaaiende armen, hun gezichten opgeheven naar de zon.

In huis voelt het in meerdere opzichten nog steeds kil aan.

Ik zat in mijn kamerjas met de blauw-met-grijze deken om me heen voor de zevende keer door de *Vogue* van deze maand te bladeren toen Tom thuiskwam. Hij zette zijn aktetas bij de deur neer en haalde uit een lange papieren zak een fles whisky tevoorschijn. Hij draaide de dop los en schonk voor zichzelf een groot glas in dat hij in één teug achteroversloeg. Toen schonk hij nog een glas in en keek me aan.

'Ik sprak Mark vanavond,' zei hij met een ondoorgrondelijk

gezicht. 'We zijn na het werk wat gaan drinken. Hij zei dat hij van de week hier was geweest om te vertellen dat hij een verhouding heeft. Waarom heb je daar niets over gezegd, Q? Is het niet in je opgekomen dat ik dat misschien zou willen weten? Hij ging ervan uit dat ik volledig op de hoogte was. Hij zat, verdorie, de hele week al te wachten tot ik zou bellen. Hoe kun je zoiets belangrijks voor me verzwijgen, Q? Hoe haal je het in je hoofd!'

Ik had zwijgend naar hem gekeken sinds hij het appartement binnen was komen lopen en had me afgevraagd wat hij dacht. Ik had vernietigende opmerkingen over allerlei onderwerpen verzonnen, maar helaas niet hierover.

Ik sloeg mijn ogen ten hemel en voelde me net een losgeslagen puber. 'Wanneer zie ik je nou?' vroeg ik. Dat vond zelfs ík kinderachtig, zeurderig en scherp klinken. 'Je staat op als ik nog slaap en je komt thuis als ik al op bed lig. Wanneer moet ik dat soort dingen dan vertellen? En wat wil je precies weten?'

'Dat is onredelijk,' antwoordde hij boos. 'Je hebt heus wel gelegenheid gehad. Ik geef toe dat ik erg veel heb gewerkt – laten we het daar nou niet weer over hebben – maar je had het best kunnen vertellen. De vraag blijft dus waarom je dat niet hebt gedaan.'

Ik stond op het punt terug te snauwen dat hij het recht niet had om me zo te ondervragen. Wilde hij soms met een lamp in mijn ogen schijnen en met spelden onder mijn nagels prikken? Maar toen vroeg ik me opeens af waarom ik het eigenlijk niet had verteld. Wat was de reden dat ik niets over Mark en Lara had gezegd? Waarschijnlijk is het een gewoonte geworden om dingen voor je te verzwijgen, zei ik in gedachten tegen hem, waarbij ik opzettelijk een neutraal gezicht trok waarvan niets af te lezen viel. Omdat ik ervoor heb gekozen je niet meer te vertellen wat er in mijn leven speelt.

'Je hebt erop aangestuurd dat Mark zou aanpappen met die vrouw die hier al twee maanden de deur platloopt. Zo is het toch?' zei Tom uiteindelijk zacht en met nauwelijks ingehouden woede.

'Wat?' vroeg ik onaangenaam verrast. 'Met Brianna? Dat meen je niet! Heeft Mark niet verteld dat ik hem min of meer het huis uit heb gezet toen hij vroeg of ik hem wilde helpen haar terug te krijgen?'

'Jawel. Hij zei dat je een rothumeur had en dat je begon te schelden toen hij probeerde uit te leggen dat hij zich schuldig voelt tegenover Lara. Maar dat wilde je niet horen, hè? Je probeert Mark en Lara al heel lang uit elkaar te drijven.' Hij kwam bij de bank staan en keek op me neer.

Ik voelde het tijdschrift uit mijn gevoelloze vingers wegglippen, zodat het op de grond viel. Tom nam een slok whisky.

'Weet je,' vervolgde hij, waarbij zijn adem naar vuur en turf rook, 'ik loop me de hele avond al af te vragen waarom je dit doet. Uit verveling? Om je belangrijk te voelen? Is dit jouw manier om het gevoel te hebben dat de wereld om jou draait? Of probeer je een echtgenoot voor die suffe vriendin van je te strikken? Of – en ik mag toch hopen dat het dat niet is – is het om wraak op mij te nemen? Wilde je het leven van mijn beste vriend zo op z'n kop zetten dat hij zijn vrouw zou verlaten voor een stomme trut die zich als hoer verkleedt? Nou, gefeliciteerd, Q. Wat je bedoeling ook was, het is je volgens mij gelukt, maar als ik jou was, zou ik mijn neus niet in andermans zaken steken. Bedrust of niet. En als je dit echt alleen maar doet om mij te raken...' Even sloeg hij zijn handen voor zijn gezicht. Het was afschuwelijk. Toen draaide hij zich om en liep de kamer uit.

Ik keek hem sprakeloos na.

Ik ben altijd dol geweest op de boeken van Jane Austen, maar ik erger me ontzettend aan het onvermogen van de personages om met elkaar te communiceren. Neem nou Elizabeth. Waarom zegt ze niet gewoon tegen Darcy dat ze van gedachten is veranderd? Jane, ga naar het huis van Bingley en zeg dat je van hem houdt! Mijn leven mist de subtiliteit van een roman van Jane Austen, en die mooie jurken en debutantenbals kun je al helemaal vergeten, maar toch lijkt het alsof ik in haar wereld rondloop. Ik heb geen idee wat mijn man denkt en ik weet niet hoe ik moet uitleggen wat er in me omgaat. Ik heb er geen woorden voor. Dus perste ik mijn lippen op elkaar toen Tom me beschuldigde en zei ik helemaal niets.

Even later zag ik tot mijn schrik op de bijzettafel een grote doos van de Bouley Bakery staan met een strik eromheen. Ik had niet eens gezien dat hij die had neergezet. Er zaten drie gebakjes met bananen en rum, vier kersengebakjes en wat Napoleon-bonbons in doorzichtig, ritselend folie in. Ik keek er ongeveer vijf minuten naar. Wat had dit te betekenen?

54

Woensdag, 11.00 uur

Ik kreeg vanmorgen een opgewekt telefoontje van Brianna.
Mark en Brianna zijn het afgelopen weekend samen geweest
en het heeft haar stoutste dromen overtroffen. Ze hadden
beide ochtenden in bed doorgebracht en daarna door de stad
gewandeld met hun armen stevig om elkaar heen geslagen,
zodat hun lichamen zo dicht mogelijk bij elkaar waren. 'Halverwege de middag lagen we weer in bed. O, Q, het valt met
geen pen te beschrijven.'

'Doe geen moeite,' zei ik verbitterd, maar volgens mij viel
haar niets op aan mijn toon. 'Mark neemt deze week contact
op met zijn advocaat om de echtscheiding te regelen.' Ik deed
nog een halfslachtige poging de pret te drukken door te zeggen dat ze daar misschien beter even mee konden wachten (ik
zie Lara's afgetobde gezicht nog voor me), maar Brianna luisterde amper en als ze me wel had verstaan, zou ze mijn raad
toch niet hebben opgevolgd.

Ik moet Lara bellen om te vragen hoe het met haar gaat, iets
waar ik niet naar uitkijk. Ik moet het doen voordat mijn moeder hier is en, lieve help, die landt over een paar uur. Terwijl ik
dit typ, komt ze, voortgestuwd door vier motoren, met een

snelheid van achthonderd kilometer per uur naar me toe ge-
vlogen met een vastberadenheid waar je u tegen zegt.

Ik heb haar gedetailleerde instructies gegeven over wat ze
moet doen als ze is geland en hoe ze een taxi moet regelen. Ze
dacht dat het nog niet mee zou vallen om van het vliegtuig bij
de terminal te komen. 'De bewegwijzering op vliegvelden is
altijd vreselijk,' had ze gezegd, als iemand die vorige week nog
in Dubai was. Daarom heb ik een beschrijving gegeven van
iedere roltrap en elke loopband die ik me van JFK kon herinneren. Nu ben ik natuurlijk bang dat ze op het vliegtuig naar
Reykjavík zal stappen, al is dat misschien niet eens zo'n ramp.
Volgens mij zou ze zich in een land met een waterig zonnetje
en spuitende geisers beter thuis voelen dan in de nauwe, donkere straten met gescheiden rijbanen van New York.

16.00 uur

Ze komt eraan. Ze heeft zojuist gebeld dat ze in de rij staat
voor een taxi. 'Ze zijn echt geel, lieverd. Ik dacht dat ze dat in
Hollywood hadden verzonnen.' Binnen een uur stapt ze over
de drempel. Ik heb Tom gebeld om hem te waarschuwen. Hij
had voorspeld, of misschien hoopte hij het alleen, dat ze op
het laatste moment zou afzeggen omdat ze geen vervanger
had kunnen vinden voor een bepaalde yogales.

55

Donderdag

'Lieverd, is het wel verstandig om zo veel taart te eten?'

'Het is een leuke flat, al zul je het zelf wel een appartement noemen, maar vrij klein, hè?'

'Jakkes, er zit pulp in het sinaasappelsap. Zeg maar waar de zeef ligt, dan haal ik de dingetjes er wel voor je uit.'

Ondertussen praten Tom en ik op neutrale toon met elkaar. We verheffen onze stemmen niet en praten ook niet zachter.

56

Vrijdag, 10.00 uur

Hoera! Gewapend met een metroplattegrond en vijf beduimelde reisgidsen heeft ze zich in Manhattan op straat gewaagd. 'Mevrouw Walberswick van de plaatselijke kegelvereniging is vorig jaar in New York geweest en die heeft zonder haar neef geen stap buiten het hotel gezet, want, laten we eerlijk zijn, het is nu eenmaal een gevaarlijke stad. Maar je hoeft over mij niet in te zitten, hoor. Ik heb mijn pepperspray bij me.' Ze heeft beloofd om drie uur terug te zijn, want om vier uur heb ik een afspraak bij de gynaecologe.

Volgens mij heeft ze het prima naar haar zin. Ondertussen overweeg ik haar binnenkort uit het raam te gooien.

Tom heeft zich, dat moet ik hem nageven, tot nu toe voorbeeldig gedragen. Hij heeft naar haar geluisterd alsof hij zeer geïnteresseerd was, terwijl ze ons trakteerde op verhalen over de vlucht. 'We kregen allemaal een klein plastic zakje, heel handig. Daar ga ik mijn wasgoed in stoppen. In dat zakje zaten oordopjes, een monster vochtinbrengende crème en een oogmasker. Ik heb het mijne niet gebruikt, hoor, want er staan twee ogen op en ik wil natuurlijk niet voor gek zitten als ik slaap. Wie wel? Er zat ook een roze plastic balpen in. Die mag jij wel hebben, schat. Balpennen heb je nooit genoeg. De passagier naast me liet die van hem liggen, dus ik heb hem meegenomen toen we van boord gingen. Ik was bang dat ze me van diefstal zouden verdenken, dus ik heb gewacht tot de stewardess een andere kant op keek. Dat kun je toch geen stelen noemen, hè? Vind jij dat stelen, lieverd?'

Tom verzekerde haar dat het volgens hem geen diefstal was en nam de plastic balpen zogenaamd met oprechte dankbaarheid in ontvangst. Voorlopig is ze dus behoorlijk onder de indruk van hem.

Dat is ze eerlijk gezegd meer van hem dan van mij. 'Lieverd, je wordt wel erg dik,' zei ze ernstig tegen me, alsof ik de laatste tijd zelf niet in de spiegel heb gekeken. 'Het kan nooit goed zijn voor de baby om zo'n futloze moeder te hebben. Het zou me niets verbazen als je het risico loopt een hartaanval te krijgen. Je moet je eetpatroon veranderen, schat. Het is maar goed dat ik er ben. Je moet meer rauwkost eten, en dan vooral taugé. Taugé is ontzettend gezond. Wist je dat? Ik ga vandaag taugé voor je kopen en dan neem ik gelijk wat rollen rijstwafels mee.'

Mijn moeder heeft de geestdrift van een bekeerling. Taugé is goed. De rest is slecht. Niet dat ze erg fantasierijk is als het om voedsel gaat. Ondanks haar hartstocht voor yoga zijn veel van de vooroordelen die er voor 1970 in Engeland op het platteland heersten bij haar blijven hangen. Zo vindt ze pizza nog steeds exotisch. Ze nam gisteren zeer achterdochtig mijn lijst met lunchsuggesties door en fleurde pas op toen ik in een vlaag van wanhoop voorstelde een broodje kaas met pickles te nemen. Taugé lijkt haar enige concessie aan het moderne leven te zijn en ze vindt zichzelf enorm vooruitstrevend. 'Mevrouw Hutchinson weigert het te eten. Vind je dat nou niet belachelijk? Ik had haar vorige week uitgenodigd om bij me te komen eten. Ze keek ernaar en wilde niet eens een hapje proeven, maar ja, je moeder is altijd al een voorloper geweest. Je herinnert je vast nog wel dat ik de eerste in de straat was die een biologisch afbreekbaarwasmiddel gebruikte.'

Beide ochtenden verdween ze na het ontbijt naar haar kamer om yogaoefeningen te doen. Ze komt er dan weer uit met een zelfvoldane, serene blik op haar gezicht, terwijl er wat zweet op haar jukbeenderen parelt. Ze wil dolgraag dat ik meedoe, maar het heeft iets ongemakkelijks om yogales te krijgen van je moeder. Al dat gedoe over in contact komen met je lichaam heeft voor mij een seksuele lading. Ik heb dus uitvluchten verzonnen, maar ik verheug me wel op mijn massage van aanstaande maandag om de verkrampte spieren in mijn schouderbladen los te maken.

Zaterdag, 15.00 uur

Ik vraag me af hoe waarschijnlijk het is dat mijn moeder dit pand levend verlaat, hoewel die kans groter wordt doordat ik niet bij de keukenmessen kan.

Aantrekkelijke Alexis stond gisteravond na het avondeten opeens op de stoep. Tom was niet thuis en mijn moeder haalde het op de een of andere manier in haar hoofd dat ze mijn eer moest verdedigen omdat Alexis kwade bedoelingen zou hebben. Ze weigerde de kamer te verlaten, hoewel duidelijk was dat Alexis me onder vier ogen wilde spreken. Het ging waarschijnlijk over Brianna. Bovendien ben ik acht maanden zwanger van het kind van een ander. Maar mijn verbazingwekkende moeder hield hem over het stadskatern van *The New York Times* wantrouwig in de gaten met een gezichtsuitdrukking die passend zou zijn geweest als ik een maagd uit de negentiende eeuw was geweest en Alexis een man uit de regentenperiode. Die arme Alexis had wel door dat er een misverstand was, maar snapte niet waar het om ging. Hij wierp steeds heimelijk geamuseerde blikken op haar en vervolgens op mij, en het leek alsof hij geen idee had waarvan hij werd beschuldigd. Dat was voor mij natuurlijk niet bepaald vleiend. Ik geloof niet dat het bij hem opkwam dat mijn moeder dacht dat hij oneerbare plannen met me had.

Toen hij eindelijk wegging, perste mijn moeder haar lippen op elkaar, kruiste haar armen en zuchtte veelbetekenend.

Ik zei niets. Ik pakte het sportkatern van *The New York Times* en verdiepte me in een artikel over de basketbalwedstrijd van gisteravond waarin de New York Knicks waren verslagen door de Cleveland Cavaliers.

Mijn moeder schudde verdrietig haar hoofd, probeerde mijn blik te vangen en slaakte nogmaals een diepe zucht.

Ik keek zwijgend naar een foto van Allan Houston.

Mijn moeder mompelde afkeurend en schudde nog een paar keer haar hoofd.

Ik hield nog steeds mijn mond. De Cleveland Cavaliers hadden honderdacht punten gescoord en LeBron James was de ster van de wedstrijd geweest.

Mijn moeder zei: 'Och, heden.' Ze schudde nog een paar keer haar hoofd en maakte als uiting van passieve agressie luidkeels afkeurende geluiden, waarmee ze haar doel bereikte.

'Wat nou?' zei ik, tien decibellen harder dan nodig was, terwijl ik met veel geritsel de krant neersmeet.

'Je hoeft niet zo te schreeuwen, lieverd,' zei mijn moeder vriendelijk. 'Ik zit recht tegenover je.'

'Als je iets te zeggen hebt, zeg het dan,' zei ik fel.

'Het moet me toch van het hart. Vind je echt dat je 's avonds jonge mannen zou moeten ontvangen als je eigen man er niet is? Dit is New York, hoor!'

'Mam,' zei ik, 'jonge mannen in New York zijn net zo goed in staat hun lust te beteugelen als waar dan ook ter wereld. Tom weet dat ik niets heb met Alexis.'

'Weet je dat zeker?' vroeg ze ernstig. 'Ik vind de sfeer tussen jullie wat gespannen. Dat zal ik wel niet mogen zeggen, maar ik doe het toch.'

Ik ging haar natuurlijk niet aan haar neus hangen wat de oorzaak van de spanning was en ik ga nog liever dood dan dat ik toegeef dat er iets mis is. We gingen dus allebei zitten mokken totdat Tom thuiskwam.

Dit was onze tweede fikse ruzie. Ik was ook al boos op haar geworden omdat ze de gynaecologe als een toverdokter had behandeld en heel hooghartig had gedaan tegen de portier.

Tot nu toe zijn we vandaag aardig en beleefd tegen elkaar geweest, iets wat beter bij de ridders van de ronde tafel past dan bij een moeder en dochter uit de eenentwintigste eeuw. 'Wil je thee?' 'Ja, lekker. Ik lust wel een kopje.' 'Wil je het reiskatern?' 'Ja, graag.'

Vanmorgen is ze spullen voor de baby wezen kopen, zodat ik alleen achterbleef en verveeld naar herhalingen van *Ricki Lake* heb liggen kijken. Ze kwam thuis met iets wat ze, nogal aandoenlijk, een verzoeningsgebaar noemde. De kleertjes zijn praktisch en van goede kwaliteit, wat het gemakkelijker maakte om vrede te sluiten. Op dit moment is ze beneden in de kelder de babykleertjes aan het wassen, zodat ik ze straks meteen kan gebruiken. Ik zal me voorlopig inhouden als ik weer moordneigingen krijg.

57

Maandag, 12.00 uur

Ik ben vandaag vijfendertig weken zwanger, een mijlpaal, een dag waar ik negen lange weken naar heb uitgekeken. Als de baby nu wordt geboren, bestaat de kans dat hij mee naar huis mag. Zijn longen zijn misschien al volgroeid en hij heeft bijna een normaal geboortegewicht. Toen er vorige week een echo werd gemaakt, was de schatting dat hij ongeveer vijf pond woog.

We hebben een rustig, maar niet bepaald ontspannen weekend achter de rug. Ik heb de babykleertjes opgevouwen. Mijn moeder heeft de lakentjes in de mandenwieg gelegd en was zo vriendelijk de meubels in haar slaapkamer te verplaatsen, zodat het vertrek zo veel mogelijk op een babykamer leek. Ze heeft nieuwe vitrages en verduisteringsgordijnen opgehangen, heeft het eenpersoonsbed tegen de muur naast de commode geschoven en heeft de wieg in het midden gezet. Zondag heeft ze een paar kratten in de vorm van treinstellen gekocht om speelgoed in op te bergen. Met die drie kratten in haar armen is ze met de metro naar huis gekomen. Vervolgens heeft ze die gevuld met een lading speelgoed: knuffelberen, prentenboeken, felgekleurde rammelaars en plastic bijtringen.

Ik ben vanmorgen bij de gynaecologe geweest en daarna bij Cherise in haar donkere, baarmoederachtige kamer. Op de echo was te zien dat de baby nog steeds in een stuit ligt. Dat was geen verrassing, want ik voel nog steeds een harde schedel onder mijn ribben. Het wordt dus vrijwel zeker een keizersnede. De hoeveelheid vruchtwater is stabiel en daarom heeft dokter Weinberg besloten om te wachten tot ik zevenendertig weken ben. 'Nog wat langer. Goed? Het gaat nu iets beter. Ik denk dat we de zevenendertig weken wel halen.' De baby zal dan medisch gezien voldragen zijn. Tot die tijd moet ik drie keer per week op controle komen.

Mijn moeder hield mijn hand stevig vast toen de gynaecologe vertelde wat ik kan verwachten bij de operatie. Ik word overmand door emoties. Ik raak opgewonden als ik bedenk dat ik mijn baby binnenkort zal kunnen vasthouden, maar ik ben ook bang, want ik heb geen idee hoe Tom zal reageren. Soms zie ik hem naar me kijken met een blik waarin liefde – pure, oprechte liefde – en melancholie versmolten zijn, maar er zijn ook momenten waarop ik het gevoel heb dat er maar iets hoeft te gebeuren of hij gaat bij me weg. Aan de ene kant is het een angstaanjagende gedachte dat mijn moeder hier nog weken zal zijn. 'Ik kan vast wel langer vervanging regelen, Q. Dan kan ik nog ongeveer een week blijven om je te helpen als de baby er is.' Aan de andere kant is het juist een geruststellend idee, want stel nou dat ik op een ochtend wakker word en voor de tweede keer een briefje tegen het zoutvat op de keukentafel zie staan en dat het ditmaal echt een afscheidsbrief is.

Laten we er voor het gemak van uitgaan dat Tom niet weggaat. Ook dan heb ik mijn moeders hulp hard nodig, want ik weet helemaal niets over babyverzorging. Mijn kind breekt vast iets als ik hem oppak. De pasgeboren baby's die ik heb gezien, hebben allemaal van die nekjes die eng naar achteren knakken als je ze maar even aanraakt. En hoe verschoon je een luier? Ik heb de tekeningen in het babyverzorgingsboek bekeken, maar die kinderen lijken allemaal mee te werken. Ik kan me nauwelijks voorstellen dat het schoppende kind dat ik in mijn buik heb straks rustig naar het plafond gaat liggen kijken als ik hem met een billendoekje schoonveeg. Dat is ook zoiets. Moet ik hem vasthouden tijdens het verschonen of houdt hij daar een trauma aan over waarvoor hij later twintig jaar in therapie moet?

17.00 uur

Lulu, de masseuse, zegt dat ze veel spanning voelt. Vooral in mijn nek, mijn bovenrug, mijn onderrug, mijn schouderbladen, mijn heiligbeen, mijn schedel, mijn bilspieren en ga zo maar door. Een uur later ben ik tweehonderd dollar lichter en voel ik me ietsje beter. Misschien lukt het na een dag ononderbroken massage (eventueel in gezelschap van enkele naakte sybarieten die mijn voeten inwrijven met olie en mijn gezicht met palmbladeren koelte toewuiven) om me te ontspannen.

58

Dinsdag, 10.00 uur

Jeanie belde vanmorgen vlak na het ontbijt. Mijn moeder was weg, ze struinde winkels af op zoek naar een fopspeen van een bepaald merk, toen de telefoon ging. 'Hoe gaat het, Q? Praten mama en jij nog met elkaar?' vroeg ze opgewekt.

'Nog wel,' zei ik. 'Ik word gek van haar, maar het is tot nu toe net uit te houden.'

Daarna vertelde Jeanie over een voetbalwedstrijd waar Dave het afgelopen weekend in mee had gespeeld. Hij is blijkbaar betrokken bij lokaal jeugdwerk voor probleemkinderen. Er worden uitstapjes naar pretparken, naar het strand en meer van dat soort dingen georganiseerd en ze hebben een eigen voetbalteam. Dit weekend had er een zeer geslaagde wedstrijd plaatsgevonden tussen twee groepen die bij elkaar goed waren voor twaalf inbraken, vijftienmaal drugsbezit en driemaal ongeoorloofd wapenbezit. Denkend aan de afscheidswoorden van Alison hoorde ik haar enthousiaste relaas over dat de kinderen nu betere manieren hadden en hogere cijfers haalden op school tien minuten aan.

Toen moest ik het echt zeggen. Ik haalde diep adem.

'Jeanie, ik wil mijn verontschuldigingen aanbieden. Ik heb

misschien voor mijn beurt gepraat,' zei ik uiteindelijk, waarbij ik mijn kaken maar een klein beetje op elkaar klemde. 'Ik heb wellicht te vlug klaargestaan met mijn oordeel over Dave en dat spijt me.'

Er viel een lange stilte.

'Q, ik maak me zorgen over je,' zei Jeanie verbaasd. 'Eén week met je moeder en alle fut is eruit! Waarom zeg je niet dat Dave een vieze vuile luilak is? Waarom som je zijn financiële tekortkomingen niet op? Waarom lees je me de les niet over mijn zeer slechte score op het gebied van romantiek?'

Ik kromp ineen. 'Mama heeft hier niets mee te maken,' zei ik, 'we hebben het niet eens over Dave en jou gehad. Maar toen Alison hier was, heeft ze me met mijn neus op de feiten gedrukt. Jeanie, het spijt me echt dat ik die nare dingen over Dave heb gezegd. Misschien kunnen we van de zomer toch naar dat huisje in Cornwall. Dan kun je me helpen met de baby. Het wordt vast leuk.'

'Dat lijkt me gezellig,' antwoordde ze. Ze klonk nog steeds alsof ze met een groot zwaar voorwerp een klap op haar hoofd had gekregen. 'Dat zou ik echt heel leuk vinden. Als je Dave beter leert kennen, Q, zul je merken dat hij helemaal niet zo vreselijk is.'

Dat vond ik niet bepaald een aanbeveling, maar ik zei niets. 'Als jij hem aardig vindt, Jeanie, is hij dat vast ook,' zei ik leugenachtig.

Toen mijn moeder thuiskwam, zei ik dat Jeanie had gebeld en ik vertelde wat we hadden afgesproken. 'Daar ben ik blij om,' zei ze vaag, terwijl ze worstelde om een pas gewassen hoes over het wipstoeltje heen te trekken. 'Aanvankelijk trok ik wat te snel mijn conclusies, maar Dave blijkt een heel aardige jongeman te zijn. Hij zorgt heel goed voor zijn moeder die alzheimer in een vergevorderd stadium heeft. Hij bezoekt haar minstens één keer per week, ook al woont ze helemaal in

Yorkshire en je weet wat voor reis dat is. Daarom heeft hij moeite om een vaste baan te hebben en dat is weer de reden dat hij steeds in geldnood zit. Ik heb hem pasgeleden een paar honderd pond geleend en daar heeft hij al tachtig pond van terugbetaald door 's avonds in de plaatselijke supermarkt vakken te vullen. Ik heb nog gezegd dat hij dat echt niet hoefde te doen, maar hij zei dat hij het een vervelend idee vond om bij me in het krijt te staan. Zo'n houding bij jonge mensen zie ik graag. Jij toch ook? Kijk eens. Zit die hoes zo goed?'

Dave blijkt dus een soort moeder Teresa in vermomming te zijn, terwijl ik aardig op weg ben een echte Cruella De Vil te worden.

59

Woensdag, 15.00 uur

Op de echo van vanochtend was te zien dat de hoeveelheid vruchtwater toch weer is afgenomen en dat is verontrustend. Misschien heeft Cherise een fout gemaakt. Volgens mij lette ze niet goed op. Ze heeft gisteravond vast ruzie gehad met haar moeder. Nou, daar weet ik alles van! Ik vond het prettiger toen mijn moeder haar mond hield en chagrijnig was. De hartslag van de baby klonk normaal. Hij zag er goed uit, leek gezond en tevreden. Hij duimde, echt waar. Zijn tien kleine vingertjes waren opgekruld tot een knuistje. Ik denk dat ik me maar niets aantrek van de uitslag van vandaag.

60

Donderdag, 18.00 uur

Mijn moeder kwam vandaag met een ongelofelijk verhaal aanzetten. Ze had tussen de middag bij de brievenbussen met een van de andere bewoners staan praten en die vertelde dat er in ons gebouw ook giftige schimmel zit!

Die bewoonster – ik heb haar nooit ontmoet, maar ze schijnt op de begane grond te wonen – vertelde dat het schimmelprobleem drie jaar geleden in haar appartement was ontstaan nadat er een waterleiding was gesprongen. Onze huisbaas liet iemand komen om de schade te herstellen, het tapijt te vervangen en meer van dat soort dingen. Ongeveer een jaar later, toen de houten raamkozijnen begonnen te bladderen, ontdekte een aannemer groen-zwart spul in de muren. Omdat Randalls traag reageerde, schakelde de bewoonster – zoals dat een goede yup betaamt – een onafhankelijke taxateur in die constateerde dat het om *Stachybotrys atra* en enkele andere, minder gevaarlijke schimmels ging. De bewoonster stuurde een kopie van het rapport en de aanbevelingen van de taxateur op naar Randalls. Het advies luidde dat Randalls een bedrijf moest inhuren om het appartement onmiddellijk grondig te laten reinigen.

Daarop schakelde Randalls plichtsgetrouw een bedrijf in dat schimmel kon verwijderen. De bewoonster vertelde dat het probleem daarmee opgelost leek te zijn. Ze kwam met dit verhaal omdat ze onze huisbaas wilde verdedigen. Mijn moeder had namelijk geklaagd dat de appartementen erg klein waren en dat de huur zo hoog was. De vrouw vertelde dat we met die huur van geluk mochten spreken in Manhattan en dat onze huisbaas zich terdege bewust is van de verantwoordelijkheden die zijn positie met zich meebrengt.

Toen ik mijn moeders relaas aanhoorde, viel opeens het kwartje: zo was Randalls dus op dat schimmelverhaal gekomen om van de lastige huurders met een vaste huur af te komen. Bij Randalls wisten ze dat er in het tegenoverliggende gebouw ook waterleidingen waren gesprongen. Ze wisten hoe oud het complex was en hoe het was gebouwd. Daardoor rees het vermoeden dat daar ook schimmel zou zitten en dat bleek te kloppen. Maar in plaats van iets te regelen om het probleem op te lossen, zoals bij ons gebouw was gebeurd, vond Randalls een bedrijf dat bereid was te verklaren dat het gebouw moest worden gesloopt. In ons blok zijn nog maar een of twee appartementen waarvoor een vaste huur wordt betaald. Ons gebouw levert dus aardig wat op. In het complex aan de overkant wonen veel oude mensen die vijfhonderd dollar per maand betalen voor appartementen waar men tegenwoordig misschien wel vijf keer zo veel voor zou neertellen. Verrassend genoeg bleek slopen dan ook de enige mogelijkheid toen er in het gebouw hiertegenover giftige schimmel werd geconstateerd.

Ik overwoog mijn moeder niet te vertellen waarom ik haar verhaal zo interessant vond. Dit hele voorval is immers koren op haar molen, een praktijkvoorbeeld van het onderhandse gesjoemel in Manhattan. Maar toen dacht ik: ach wat maakt het uit. Ze verdient een pluim. 'Mama,' zei ik toen ze was uitgesproken, 'dat was prima speurwerk. Je hebt iets heel interessants ontdekt.'

'O, ja?' vroeg ze. Ze fleurde helemaal op. 'Wat dan?'

Ik haalde diep adem en vertelde het hele verhaal over Randalls, mevrouw G. en de bejaarde immigranten. Ze luisterde zeer aandachtig. Aan het eind mompelde ze afkeurend en schudde plechtig haar hoofd. 'Huisbazen zijn ook overal hetzelfde. De huisbaas van een vriendin van me, mevrouw Ruskin, liet zogenaamd per ongeluk twee keer de huur van haar bankrekening afschrijven en weigert het overtollige bedrag terug te storten. Dat is toch ongelofelijk! Je moet voor die mensen opkomen, Q. Zal ik met een verborgen cassetterecorder naar die vrouw op de begane grond toe gaan en vragen of ze het verhaal nog een keer wil vertellen?'

Ik knipperde met mijn ogen. Mijn moeder de detective. Als ik niet beter zou weten, zou ik denken dat ze te veel boeken van Raymond Chandler had gelezen. 'Dat is vast niet nodig,' zei ik zwakjes. 'Er bestaan waarschijnlijk gedetailleerde verslagen over de eerste keer dat Randalls te maken kreeg met *Stachybotrys atra*. De advocaten bij Schuster kunnen dat uitzoeken. Dankzij jou weten ze waar ze moeten zoeken.'

'Als ik kan helpen, geef je maar een gil, hoor,' zei ze. Ze reageerde een beetje als een paard dat te horen heeft gekregen dat het niet over een bepaald hek mag springen, terwijl het dat dolgraag wil. 'Wie weet bieden die slechteriken van Randalls de vrouw beneden wel flink wat zwijggeld! Ik kan beter meteen naar haar toe gaan.'

'Dat hoeft echt niet, mama,' zei ik resoluut. 'Fay laat dit wel uitzoeken. Ik ben je erg dankbaar en mijn vriendin, mevrouw Gianopoulou, zal dat ook zijn.'

Mijn moeder was trots op zichzelf. 'Daar ben ik blij om! Als ik verder nog iets kan doen moet je het echt zeggen, hoor,' voegde ze eraan toe, terwijl ze met een stralende glimlach haar haar gladstreek. 'Ik ben hier immers om me nuttig te maken!'

Ze is nu in de keuken een hartige taart aan het bakken. Daar was ik als kind dol op. Het ruikt in het appartement naar groenten, bouillon en kaas. Naast me staat een klein glas merlot. 'Doe niet zo mal, lieverd,' zei ze, toen ik protesteerde toen ze de wijn inschonk. 'Ik heb altijd een glas per dag gedronken toen ik in verwachting was en jullie hebben daar alle drie niets aan overgehouden. Je moet de spanning een beetje kwijt, Q. Na afloop van die massage zag je eruit alsof je een uur lang was mishandeld in plaats van dat er een vreedzame kalmte over je heen was gekomen. Die arme vrouw was bijna in tranen toen ze wegging. Als je geen yogaoefeningen met me wilt doen, zul je een andere manier moeten verzinnen om te ontspannen.'

Ze lijkt zich niet meer druk te maken over mijn gewicht. Ik hoorde haar vanmorgen tegen Tom zeggen dat hij een kwarktaart voor me moest meebrengen. 'Ik weet dat ze dol is op van die chocolate chip cookies. Kun je die hier ergens krijgen?'

61

Vrijdag, 11.00 uur

Lara belde vanochtend vroeg om te zeggen dat Mark al zijn kleren heeft meegenomen en voorgoed is vertrokken. Mark belde een halfuur later om zijn nieuwe adres door te geven. Hij huurt met Brianna een appartement in de East Village. Ik hoorde Brianna giechelen op de achtergrond. Na een paar minuten pakte ze de telefoon van hem af. Ik hoorde haar zeggen: 'Nu ben ik aan de beurt, Mark!' waarop hij iets zei wat verdacht veel klonk als: 'Daar zul je straks voor boeten, schat,' waarna nog meer gegiechel volgde. Ze beschreef haar nieuwe slaapkamer tot in detail. Iets over een gat in het plafond waar ze een decoratieve ananas voor wil hangen. Oersaai. Toen verontschuldigde ze zich: 'Ik moet nu naar kantoor, Q. Ik spreek je nog wel. O, Mark, kijk eens hoe laat het is. We komen weer niet op tijd.'

Lara woont met haar twee kinderen en steeds dikker wordende buik nog in de echtelijke woning. Ik heb beloofd dat ik zal langskomen als ik weer op de been ben. Niet dat ze zich tegenover míj als een Florence Nightingale heeft gedragen, maar ik heb met haar te doen.

Mijn moeder hoorde het gesprek met Lara en toen ik had

opgehangen vroeg ze wat er aan de hand was. Ze luisterde met een steeds somberder wordend gezicht, terwijl ik uitlegde dat Mark Lara had verlaten. 'Ach, wat sneu,' zei ze treurig toen ik was uitgesproken. 'Als je me haar adres geeft, ga ik wel naar haar toe als je dat wilt. Ik weet wat het is om met drie kinderen achter te blijven. Ik zal voor haar en de kinderen een hartige taart bakken.'

Ik was even met stomheid geslagen en keek haar aan. Wie had kunnen denken dat mijn moeder zo menslievend kon zijn? Lara zal wel opkijken als ze een Tupperware-bakje met mijn moeders hartige taart krijgt. Volgens mij eet ze alleen levensmiddelen als er op de verpakking 'voor fijnproevers' staat, maar ik denk dat ze mijn moeders gebaar zal waarderen. Hartige taart is toch het beste troosteten dat er is?

15.00 uur

Tijdens de lunch begon mijn moeder weer over Lara. Ze zat op het puntje van de leren fauteuil met een wiebelend bord op schoot. 'Wie staat die arme vrouw bij tijdens de bevalling?' vroeg ze, terwijl ze voorzichtig de uien van haar broodje pastrami af haalde. 'Ze heeft dan echt iemand nodig die haar steunt.'

Ik haalde mijn schouders op en begon aan mijn tweede broodje kalkoenfilet met cranberry's. Het was perfect: de baguette was wit, licht en krokant, en de cranberry's waren zoet en stevig totdat ze knapten in je mond en het heerlijke, dikke, zoete sap vrijkwam. 'Mark misschien, weet ik veel. Wie weet vraagt ze een vriendin.'

Mijn moeder keek ernstig. 'Dat moet je aan haar vragen, Q. Als ze geen goede vriendin heeft, wil ik dat jij aanbiedt erbij te zijn. Afgesproken?'

'Ik? Mam, zo dikbevriend zijn we niet, hoor!' zei ik. 'Lara wil niet dat ik erbij ben als ze met haar benen in de lucht ligt en er overal bloed is. Ze is zo iemand die de kraan laat lopen als ze naar de wc moet en wij in de woonkamer zijn. Ze wil mij heus niet bij de bevalling hebben. Dat kan ik je zo wel vertellen.' Ik slurpte mijn derde beker bananenmilkshake leeg.

Mijn moeder schudde haar hoofd. 'Q, ik wil echt dat je het aanbiedt. Het heeft iets heel angstaanjagends om in je eentje te moeten bevallen. Toen je vader me in de steek liet nog voordat jij werd geboren was ik doodsbang. Ja, ik weet dat ik je dit nog nooit heb verteld, maar het is echt gebeurd. In die tijd vroeg je niet aan je moeder of een vriendin om bij de bevalling te zijn. Ik had er wekenlang nachtmerries over. Uiteindelijk smeekte ik je vader om terug te komen, zodat er iemand bij me zou zijn die mijn hand kon vasthouden. Ik vond hem uiteindelijk in Clacton-on-Sea met een vrouw die hij via het British Legion had leren kennen. Ik zei dat ik er alles voor overhad om hem terug te krijgen. Niet dat ik veel aan hem heb gehad toen het zover was, dat moet ik er wel bij vertellen, maar ik hoefde in ieder geval niet het medelijden in de ogen van de verpleegkundigen te verdragen. Ik denk niet dat ik daar tegen had gekund.'

Ik stond perplex. 'Heeft papa je in de steek gelaten voordat ik was geboren?' vroeg ik ontzet.

Mijn moeders ogen gleden even naar mij en toen keek ze een andere kant op. 'Ja,' zei ze beschaamd. 'Toen Alison net was geboren heeft hij ook de benen genomen en hij is ongeveer een week weg geweest toen Jeanie een halfjaar was. Jij was toen oud genoeg om het te merken en daarom heb ik gezegd dat hij op tournee was met zijn band. Ik was echter doodsbang dat hij voorgoed vertrokken was. Ik wist niet wat ik moest zeggen als hij nooit meer thuis zou komen. Blijkbaar was de vrouw met wie hij ervandoor was hem gauw zat, want lang voordat jij argwaan kreeg, kwam hij met zijn staart tussen zijn benen terug. Dat was een grote opluchting.'

Ik had het vreemde gevoel dat ik in een hevige storm op een stampend schip zat. 'Waarom heb ik dat nooit geweten? Waarom heb je ons dat niet verteld?'

Mijn moeder haalde haar schouders op. 'Ik dacht dat jullie daar onzeker van zouden worden. Ik wilde jullie zo veel mogelijk beschermen, jullie het gevoel geven dat ons huis een veilige, gelukkige plek was. En ik wilde dat jullie van je vader hielden. Dat was heel belangrijk voor me, Q. En eerlijk gezegd had ik hem nodig. Ik wilde niet overal alleen voor opdraaien. Ik maakte me geen enkele illusie en wist dat het zwaar zou zijn.'

Ik dacht aan mijn jeugd en alles leek opeens net iets anders. De belichting was veranderd, donkerder geworden. Er viel een langere schaduw achter mijn vader. Niet dat ik dacht dat hij volmaakt was, maar toch…

'Weet Alison het? En Jeanie? Waarom kom je daar nu mee?' vroeg ik uiteindelijk.

'Je zussen weten het niet,' antwoordde mijn moeder. 'En ik vertel het je nu, omdat er geen reden is het nog langer te verzwijgen. Of wel soms?' Ze stond op uit de fauteuil, ging de theepot uit de keuken halen en schonk voor zichzelf nog een kop sterke Engelse thee in. 'Er zit genoeg in de pot, hoor. Als je ook een kopje wilt…'

Ik geloof haar niet helemaal. Volgens mij is dat niet de enige reden dat ze me vandaag over mijn vaders escapades heeft verteld. Ik zag haar vanmorgen naar Tom en mij kijken. We omzeilen intimiteit, mijden elkaars blik en maken vileine opmerkingen die als vishaakjes in de huid blijven hangen. ('Kan het niet wat zachter met die deur?' 'Is het echt nodig dat al die kruimels op de grond komen?') Probeert ze me duidelijk te maken dat ik de breuk moet lijmen, de kloof moet dichten? Wat zei ze ook alweer? 'En eerlijk gezegd had ik hem nodig. Ik wilde niet overal alleen voor opdraaien. Ik maakte me geen enkele illusie en wist dat het zwaar zou zijn.'

Het punt is alleen dat mijn man niet in Clacton-on-Sea zit, maar zich in een ander heelal bevindt.

19.00 uur

Ik ben net terug van weer een bezoek aan de gynaecologe. Ze heeft gezegd dat ik speciale oefeningen moet doen om de baby te stimuleren uit zichzelf te draaien zodat ik vaginaal kan bevallen. 'Ik denk niet dat het veel zal uithalen,' zei dokter Weinberg effen, 'maar proberen kan geen kwaad.' Volgens mij zijn deze oefeningen bedoeld om hoogzwangere vrouwen tot een voorwerp van algemene spot te maken. Bij de ene oefening moet ik me naar voren buigen en mijn achterwerk in de lucht steken. Bij de andere lig ik op mijn rug op de grond en moet ik mijn heupen omhoogduwen terwijl mijn man ('Het hoeft niet per se uw man te zijn. Uw moeder mag ook.') tegen de baby praat om hem aan te moedigen op eigen kracht naar buiten te gaan. 'Kom op, baby. Draai je om. Keer je gezicht naar de wereld. De opening naar de baarmoeder is de toe-gangspoort. Kijk naar de uitgang. Draai dan. Toe maar.'

Als dit werkt, eet ik mijn placenta op.

Ik heb weer minder vruchtwater dan de vorige keer, maar hopelijk heeft dat niets te betekenen. Cherise leek zich er niet erg druk over te maken en, zoals dokter Weinberg zei, dit zijn geen exacte cijfers. Aan mijn zwangerschapsstriemen te zien groeit de baby als kool.

23.00 uur

Ik heb zojuist op internet gelezen dat zwangerschapsstriemen worden veroorzaakt door de gewichtstoename van de moeder en niet door die van de baby. Balen.

62

Zaterdag, 9.00 uur

Sinds ik mijn ontbijt op heb, tel ik hoe vaak de baby schopt. Dat is ook huiswerk dat ik gisteren van de gynaecologe heb meegekregen. Na het eten moet ik een uur lang bijhouden hoe vaak de baby beweegt, want dan is hij het meest actief. Ik moet noteren hoelang het duurt voordat ik zeven schoppen, buitelingen of dat soort dingen heb gevoeld. Wat heeft dat voor zin? Vol trots kan ik melden dat mijn kind het afgelopen uur wel vijfenveertig keer heeft geschopt en getuimeld. Ik ben blijkbaar in verwachting van een topsporter.

12.00 uur

Tweeëndertig schoppen sinds ik mijn laatste chocoladebrownie naar binnen heb gewerkt. Ik kan gerust met pensioen, want ik kan straks leven van wat mijn kind als rugbyspeler verdient. Dan ben ik zo'n moeder die met een megafoon op de voorste rij zit en een T-shirt draagt met een foto van haar zoon erop.

19.00 uur

Hij zal toch niet dood zijn? Achtenvijftig minuten geleden had ik mijn avondeten op en ik heb maar vijf schoppen gevoeld. Help! Wat moet ik doen?

19.02 uur

Gelukkig, op de valreep toch nog twee trappen, maar ik maak me wel zorgen. Ik zal een koekje nemen. Eens kijken of hij dan actiever wordt.

63

Maandag, 9.00 uur

Over een week krijg ik een baby. OVER EEN WEEK AL!
MIJN GOD!
  IK BEN DOODSBANG.

64

Dinsdag, 9.00 uur

Tom is vanmorgen om halfzes vertrokken waarbij hij de deur boos achter zich dichttrok.

Een paar uur later hees ik mezelf net moeizaam op de bank toen de telefoon ging. 'Goedemorgen, Q,' zei een vrolijke stem aan de andere kant van de lijn. 'Je spreekt met Leanne van Crimpson Thwaite.' O, die, dacht ik bij mezelf. Toms zeer charmante, aantrekkelijke en lenige secretaresse met haar prachtige lange benen, een vrouw die ik uit de stad had moeten verdrijven als ze niet zo'n innige, standvastige relatie had gehad met de al even beeldschone Alyssa.

'Tom belde net. Hij denkt dat hij wat dossiers thuis heeft laten liggen. Ik stuur een koerier en die komt ze om een uur of acht ophalen. Ben je dan thuis?'

Ben ik dan thuis? Eens even denken...

'Ik heb de koerier precies uitgelegd waar de dossiers liggen, dus je zult geen last van hem hebben. Ik bel alleen om te zeggen dat hij eraan komt. Fijne dag verder!' Toen hing ze op.

Ik keek de kamer rond. Niet op de radiatorbank, niet op de bijzettafel, niet op de fauteuil. Ja, daar op de tafel bij de keuken. Een zwarte archiefdoos en een dunne marineblauwe dossiermap boven op *The New York Times* van gisteren, maar onder een stapel ondergoed voor na de bevalling (enorme onderbroeken, ruimvallende T-shirts en bh's met een verbijsterd lange rij letters op de label) die gistermiddag is bezorgd. Ik strompelde ernaartoe om de dossiers klaar te leggen. Ik moet eigenlijk blijven liggen, maar ik wil niet dat de koerier straks tussen dat ondergoed staat te neuzen.

Het etiket op de dossiermap was niet ingevuld. Op de archiefdoos stond op de rug: *onroerend goed – huidige cliënten – archiveren.*

Ik keek naar de doos. Onroerend goed. Huidige cliënten. Crimpson. Ik dacht even na. Hmm.

Toen zette ik hem met een rood hoofd schuldbewust neer. Waar was ik in vredesnaam mee bezig? Ik heb hierover nagedacht en ik ben tot een moreel verantwoorde conclusie gekomen, sprak ik mezelf streng toe, alsof ik een serieuze filosofielerares was. Het zou niet alleen beroepsmatig onethisch zijn, maar het zou ook een zware vorm van verraad ten opzichte van mijn man zijn als ik Toms dossiers zou lezen.

Vlieg op met je ethiek, zei een andere stem, die van een opstandige feministe die haar handen op haar heupen had gezet. Is het moreel aanvaardbaar om je zwangere vrouw de hele dag alleen thuis te laten en moedwillig je carrière boven je kind te plaatsen? Feministes vegen de vloer aan met filosofieleraressen. Ik pakte de doos, haalde het deksel eraf en keek erin.

Mijn vingertoppen leken plotseling geladen. Mijn gezicht gloeide van opwinding doordat ik iets deed wat absoluut niet mocht. Maar de adrenaline nam gauw af: er zat niets in wat me interesseerde. Alleen de gebruikelijke advocatenbrieven, stukken van de rechtbank en aantekeningen over bepaalde zaken. Alles lag door elkaar. Sommige papieren zaten met grote paperclips aan elkaar vast, andere lagen los en moesten nodig uitgezocht worden. Daarom zal Leanne die spullen wel willen hebben, dacht ik bij mezelf. Ze heeft vanmorgen tijd vrijgemaakt om Toms chaotische aantekeningen te sorteren. In gedachten gaf ik mijn man een standje. Je moet de boel beter ordenen. Er zitten aantekeningen over wel vijftien verschillende klanten in. Zo vind je nooit iets terug. Wat hebben we hier? Fred Trask Corporations, Billman & Hasselhoff Hotels, Goldview Morgan Investments, Randalls...

Randalls. Ik slikte. Ik had het gevoel dat er duizend kleine rode mieren door de huid van mijn handpalmen kropen.

Ik zag een stapel aantekeningen met een geel plakkertje erop waarop Tom in zijn onduidelijke hoekige handschrift *Randalls* had geschreven. Het waren ongeveer vijftien pagina's. Eens even kijken: een huurcontract (was dat een opluchting of niet?) voor een pand in het noorden van New York aan 128th Street. Niets over het gebouw aan de overkant, helemaal niets. Of toch?

Tussen pagina 7 en 8 zat een brief die keurig was dichtgevouwen. Ik pakte hem en maakte hem open. Ik zag een deel van een zin: ... *duizenden dollars verlies aan onderhoud en belasting, en dan hebben we het nog niet eens over mogelijke huurinkomsten als de marktwaarde zou worden gehanteerd...*

Ik vouwde de brief haastig dicht. Waar was ik mee bezig? Mijn hart bonkte als een bezetene. Ik vroeg me af wat de baby van deze ontstellende adrenalinetoevoer vond. Ik dacht even na. Het ging over de inkomsten van Randalls, over verliezen in een sterke onroerendgoedmarkt. Dat kon overal op slaan en hoefde niet noodzakelijkerwijs over mijn gebouw te gaan, want zo beschouw ik het inmiddels. Het gaat waarschijnlijk over het huurcontract voor het gebouw aan 128th Street. Ja, dat is logisch. Resoluut stopte ik de brief terug in de zwarte archiefdoos, zette de doos met de dossiermap op een stoel bij de deur en sleepte mezelf door de kamer naar de bank.

Ik ging weer liggen, trok de wollen deken over mijn benen en zette de televisie aan. Rechter Judy Sheindlin hanteert in *Judge Judy* de wet, de echte wet, die van het volk en niet die lastige materie waar wij vakidioten ons mee bezighouden. Televisierechter Judy kan je niet helpen als je de schade wilt verhalen die de minnares van je echtgenoot je familie, je auto en je eigendunk heeft berokkend, maar ze kan iemand wel vijf minuten moreel verantwoord de huid vol schelden. Ze komt aanzetten met woorden als 'goed' en 'fout' om ons allemaal een veiliger gevoel te geven. Er wordt met de hamer geslagen. Opgelost! Een uitspraak die alle lastige aspecten buiten beschouwing laat, zoals wie wat betaalt en wanneer, op welke dagen van de week de kinderen bij wie zijn en hoe de kinderen kerst, oud en nieuw of verjaardagen vieren.

Niet naar de zwarte archiefdoos kijken. Niet doen, hield ik mezelf voor, maar ik deed het toch. Hij beheerste op mysterieuze wijze mijn gedachten. Ik zou bijna zweren dat hij een gloed uitstraalde op de stoel bij de deur. *… en dan hebben we het nog niet eens over mogelijke huurinkomsten als de marktwaarde zou worden gehanteerd.* Op zich een neutrale zin. *… duizenden dollars verlies aan onderhoud en belasting.* De brief kon over van alles gaan, zei ik tegen mezelf. De koerier kan elk moment komen en dan lig ik hier de hele dag te denken dat het over het gebouw van de vrienden van mevrouw G. gaat en dat is waarschijnlijk helemaal niet het geval. Misschien moet ik de brief toch maar lezen, dacht ik om drie voor acht. Dan kom ik erachter dat het niets met het gebouw aan de overkant te maken heeft en dan hoef ik er niet meer aan te denken. Ja, dat is het beste.

Ik gooide de deken van me af, strompelde naar de stoel, opende de archiefdoos, zocht tussen de papieren en pakte de brief.

Vertrouwelijke memo stond erboven in Toms handschrift.

Het was een uitdraai van een e-mailbericht dat Tom vier dagen geleden aan Phil, een van de partners, had geschreven. Voor zover ik het me kan herinneren stond er dit:

Phil, Valerie is inmiddels volledig op de hoogte, dus je hebt vaste grond onder de voeten. Ik vermoed dat Coleman Randall (de vader) het haar vorige week zelf heeft verteld. Hij heeft voor aanstaande dinsdag een afspraak gemaakt met John, maar dat gaat blijkbaar over procederen in verband met het winkelcentrum. John kennende zal hij echter ook wel over de valse aanvragen voor de DHCR beginnen.

Ik raad je aan Stewart mee te nemen, want die zit er ook helemaal in. Samengevat: doordat er voor de appartementen op East 83rd Street een vaste huur wordt betaald, loopt Randalls kapitalen mis. Randalls lijdt duizenden dollars verlies aan onderhoud en belasting, en dan hebben we het nog niet eens over mogelijke huurinkomsten als de marktwaarde zou worden gehanteerd. Laten we er geen doekjes om winden: CR wist dat de DHCR de laatste jaren afwijzend tegenover sloopvergunningen stond en hij wilde de huurders eruit hebben zodat verdere protesten achterwege zouden blijven. Ter verdediging begint hij steeds over het pand op 823 Park Avenue, zonder te begrijpen welke legale gevolgen dit kan hebben. Stewart is ervan overtuigd dat hij glashard heeft gelogen over de positie die de staat inneemt bij een schimmelinfectie van deze omvang en ook over de vereiste procedures die de staat heeft vastgesteld. Hij heeft ons alleen maar ingeschakeld omdat de huurders een juridisch zwaargewicht in arm hebben genomen en hij bang is dat het verkeerd afloopt.

De advocaat van de huurders zal hun adviseren hoog in

te zetten. Ze zullen waarschijnlijk een forse schadevergoeding eisen. Laten we eerlijk zijn: dit is hufterig gedrag. Ik heb CR vermanend toegesproken over goed communiceren en ik heb voorgesteld de valse aanvragen voor de DHCR te corrigeren. Dat heeft tot gevolg…

Toen ging de bel. Met handen die opeens opgezet en verdoofd leken, vouwde ik de brief dicht. Ik wilde hem weer bij het huurcontract stoppen, maar in welke volgorde hadden de papieren gezeten en waar had ik het huurcontract gelaten? Er werd weer aangebeld. Shit! Ik legde de stapel vlug in de zwarte archiefdoos en deed het deksel erop. Vervolgens maakte ik de deur open, waarbij ik mijn meest charmante en onschuldige glimlach tevoorschijn toverde. De koerier had de verveelde, wezenloze uitdrukking van iemand die elke dag op de West Side Highway zijn leven riskeert. Ik overhandigde hem de spullen zonder hem aan te kijken. Hij bromde iets onsamenhangends en verdween toen in het trappenhuis.

Nu ben ik weer alleen in het appartement. Mijn moeder is weggegaan om een yogastudio te zoeken. Het afgelopen uur heb ik liggen nadenken. Wat heb ik eigenlijk ontdekt? Wat wist ik nog niet? De radertjes in mijn hoofd lijken tergend langzaam te draaien. Ik weet nu dat Randalls zich in het nauw gedreven voelt. De brief die Fay van mij moest sturen heeft blijkbaar effect gehad. Het lijkt erop dat de huurders de afkoopsommen zullen krijgen waar ze recht op hebben. Maar er is iets wat ik interessanter vind. Tom heeft Coleman Randall vermanend toegesproken. Hij heeft hem op zijn ethische verplichtingen gewezen. Hij vindt zijn gedrag weerzinwekkend.

Dat klinkt als de man met wie ik getrouwd dacht te zijn. De Tom van de memo lijkt een advocaat te zijn die vindt dat Alexis en mevrouw G. gelijk hebben, dat er strijd moet worden geleverd en dat ze aan de goede kant vechten. En ik ook natuurlijk. Het punt is alleen dat ik die papieren niet had mogen lezen. Ik hoor dit niet te weten. Als Tom erachter komt dat ik in zijn vertrouwelijke stukken heb gesnuffeld naar informatie om mijn vrienden te helpen, zal hij me nooit meer vertrouwen. Hoe komt het dat ik opeens de boosdoener lijk?

9.25 uur

Er zit maar één ding op…

9.27 uur

Ik heb Tom zojuist gebeld. Ik pakte de telefoon en toetste het nummer in zonder te weten wat ik zou gaan zeggen. De telefoon ging over en er werd opgenomen. 'Hallo?'

'Tom,' zei ik dringend. Toen zweeg ik.

'O, ben jij het, Q,' antwoordde hij onverschillig. 'Wat is er?'

'Ik, eh… Ik wilde even vragen of de dossiers zijn aangekomen. De koerier kwam ze om acht uur ophalen. Ze lagen op de tafel bij de keuken,' bazelde ik. 'Onder spullen van mij. Ondergoed en zo. Maar goed, ik dacht: laat ik even bellen of ze zijn gearriveerd,' beëindigde ik mijn verhaal slap.

'Ja, die zijn hier. Bedankt voor het bellen,' antwoordde hij kortaf.

Het bleef heel lang stil.

'Eh… Ben je op tijd thuis voor het eten?' vroeg ik uiteindelijk wanhopig.

'Nee,' zei hij vlak, 'dat denk ik niet. Hoor eens, Q, ik heb het momenteel ontzettend druk. Ik zit met een deadline en ik heb geen tijd om nu met je te praten. We spreken elkaar later wel. Goed?' Hij hing op.

Sinds ik volwassen ben, beter gezegd vanaf mijn dertiende, heb ik me voorgenomen om een lang en gelukkig huwelijk te hebben. Ik weet wat het is om op te groeien in een huis met een lege stoel aan het hoofd van de eettafel. Ik weet wat je voelt als je afwezig ook die plek dekt, en het bord en het bestek dan met een misselijk gevoel van afschuw en verlegenheid weer weghaalt in de hoop dat niemand het heeft gezien. Ik weet wat het is om een ouder bleek uit het raam te zien staren met een blik die boekdelen spreekt: ze zou liever het bijltje erbij neergooien. Dat wil ik mijn kinderen niet aandoen, dacht ik bij mezelf toen ik een tiener was en mijn nagels heel diep in de zijkant van mijn hand drukte. Het enige waar mijn kinderen over zouden kunnen klagen was dat hun ouders zoenden waar ze bij waren ('getverderrie!'). Ik blijk dit huwelijk net zo verknald te hebben als mijn ouders destijds dat van hen. In andere opzichten en om andere redenen, maar het is evengoed mislukt.

65

Mijn vader was klein van stuk, net één meter zeventig. Hij had rood haar (dat heb ik van hem) en zo'n bleke huid dat je de fijne blauwe adertjes in zijn polsen zag lopen. Ik herinner me dat ik die als kind met mijn vinger volgde als ik bij hem op schoot zat. Hij rook naar aftershave en Benson & Hedges-sigaretten.

Toen hij vertrok, heb ik twee weken lang elke nacht gehuild. Ik had toen al een eigen kamer, dus er was geen reden om mijn tranen in te houden, geen bang zusje dat mijn gesnik kon horen. Ik herinner me dat ik onder de dekens kroop en me overgaf aan uitbarstingen van verdriet. Hoe kon hij me bij haar achterlaten? Hoe kon ik ooit aan haar verwachtingen voldoen? Van mijn vader hoefde ik geen uitzonderlijke prestaties te leveren, waarschijnlijk omdat hij de lat voor zichzelf ook nooit erg hoog had gelegd, en dat maakte het leven een stuk eenvoudiger. Hij was al blij als ik een zeven haalde. Hij heeft het amper gemerkt toen ik een keer een onvoldoende voor godsdienst had.

Ongeveer drie dagen nadat hij was vertrokken opende ik de droogkast en zag daar een overhemd van hem hangen – een geel-met-bruin ruitjesoverhemd – dat kort daarvoor was gewassen en geduldig op zijn eigenaar wachtte. Ik staarde misschien wel twintig minuten naar dat overhemd. Ik ging op de kurkvloer van de badkamer zitten en keek ernaar. Ik kon niet bevatten dat mijn vader er niet was en zijn overhemd wel. De volgende dag ging ik terug naar de droogkast, de geheime schrijn voor mijn vader, maar toen ontdekte ik dat het overhemd geruisloos was verdwenen. De lege metalen kleerhanger hing er nog, schommelde zacht heen en weer in de warme luchtstroom.

De eerste brief was onsamenhangend:

Lieve Q,

Ik schrijf je om te zeggen dat het me heel erg spijt. Ik mis je. Je moet de groeten hebben van Julie. Ik moest echt weg. Het kon gewoon niet anders. Ik kom binnenkort langs.

Liefs, papa. xxxxxxxxx

Ik stopte de brief in het roze fluwelen juwelenkistje dat ik een keer met kerst van mijn oom had gekregen en waarin ik mijn kostbaarste bezittingen bewaarde. Inhoud: één bedelarmband (die had een keer op de voorkant van een meidentijdschrift gezeten), één zilveren vingerhoedje (volgens mijn vader een erfstuk) en verder alle kerst- en verjaardagskaarten die ik ooit van mijn ouders had gekregen.

Bij deze kostbare voorwerpen kwam kort daarop een tweede brief te liggen:

Lieve Q,

Je vader heeft me gevraagd je een brief te schrijven. Met ons gaat het goed. Ik heb nu acht leerlingen voor gitaarles en je vader heeft een nieuwe band. Het gaat heel goed, hoewel

hun basgitarist onlangs is opgestapt. De saxofonist gaat
misschien terug naar België. We hebben sinds kort een hond
die Cassie heet. Je zult vast dol op haar zijn. Als je een keer
naar Brighton komt, kun je met haar spelen. Je vader zal
binnenkort bellen of schrijven.

Liefs, Julie xx

Ik vond het niet prettig dat Julie zijn brieven voor hem
schreef, maar ik droomde maandenlang over Cassie. Wat
zou het leuk zijn om samen te stoeien op het strand van
Brighton! Ik stelde me Cassie voor als een langharige Af-
ghaanse windhond of een spierwitte collie en ze was het top-
punt van trouw. Mensen die ons samen zagen, zouden tot
tranen toe geroerd zijn omdat we duidelijk zo'n hechte band
hadden. Ook als ze niet aangelijnd was, zou ze me volgen. Ik
hoefde maar een paar keer kort te fluiten of ze zou kleine
kinderen van de verdrinkingsdood redden. 's Avonds zou ik
haar borstelen. Dan zou ze aan mijn hand likken en me liefdevol aankijken.

We mochten van mijn moeder geen hond. 'Te veel troep en
ik kom niet uit mijn werk naar huis om dat beest uit te laten.'

Je raadt het al: ik heb Cassie nooit gezien. Mijn vader heeft
nooit gevraagd of ik kwam logeren. Hij schreef zelden naar
mijn zussen of naar mij. Julie stuurde sporadisch een ansicht-
kaart – ongemakkelijk, stijf en met weinig tekst – en daar bleef
het bij. In december wachtte ik ieder jaar vol spanning op hun
kerstkaart. Ik hoopte dat hij van gedachten was veranderd en
dat er iets op zou staan als:

Lieve Q,

Ik stuur je deze kaart omdat jij de oudste bent en het zult begrijpen. Weggaan was de enige mogelijkheid, want... (en dan volgde er een ontzettend goede reden). *Ik hou erg veel van je en ik wil weer een rol in je leven spelen. Ik denk vaak aan je en dan stel ik me voor hoe groot je inmiddels bent. Ik wil weer een echte vader voor je zijn.*

Maar ieder jaar las ik een veel slappere tekst.

Lieve kinderen,

Prettige kerstdagen en een gelukkig nieuwjaar.

Veel liefs, papa en Julie

Ik hoop dat het goed met jullie gaat. Met de band gaat het super. De langspeelplaat komt eraan!!!! xxxxxxxx

Naarmate mijn tienerjaren verstreken, merkte ik dat ik erover fantaseerde hem per ongeluk tegen te komen, in de trein bijvoorbeeld. Ik zou eerst Cassie opmerken. Dan zou ik opkijken en Julie zien. Ik wist niet zeker of ik haar zou herkennen, maar ik had een foto die papa een keer had opgestuurd en die ik uit de prullenbak had gevist waar mijn moeder hem in had gegooid. En als laatste mijn vader. Zodra hij me zag, zou zijn gezicht oplichten. 'Q! Lieve help, niet te geloven!' Hij zou zich aanvankelijk ongemakkelijk voelen en verlegen zijn, maar dan...

Daarna waren er twee mogelijkheden. In de eerste versie raakten we aan de praat en kwamen we er algauw achter dat we veel gemeen hadden. We hielden van dezelfde soort muziek, hadden hetzelfde gevoel voor humor en waren allebei hartstochtelijk van aard. ('Dat past bij het haar.') Julie zat tegenover ons en keek naar mijn vader en mij, terwijl wij aan één stuk door kletsten. Ze voelde zich buitengesloten en ongemakkelijk vanwege onze hernieuwde intimiteit. Aan het eind van de reis hadden we weer een band gekregen en we beloofden elkaar dat niets ons meer zou kunnen scheiden.

In de tweede versie liep het heel anders. Mijn vader zou een gesprek met me aanknopen, erachter komen hoe volwassen ik was en hij zou met afschuw vervuld raken als hij besefte wat hij allemaal had gemist. Bovendien zou hij onder de indruk zijn van mijn zelfbeheersing en volwassenheid. Hij zou toegeven dat ik altijd al de dochter was geweest met wie hij zich het meest verbonden had gevoeld. Daarna zou hij vragen of ik bij hen in Brighton kwam logeren en ditmaal zou hij het menen. Maar ik zou opstaan en zoiets zeggen als: 'Dat is toch zeker een grapje? Denk je nou echt dat je mij, ons allemaal, in de steek kunt laten en dat ik je dat zomaar vergeef? Snap je dan niet hoe erg je ons hebt gekwetst? Je bent egoïstisch en onvolwassen. Mama heeft haar gebreken, maar die heeft in ieder geval verantwoordelijkheidsgevoel. Ze heeft ons al die jaren onderhouden en emotioneel gesteund. Denk je dat ik nu nog een band met je wil? Geen denken aan. Bekijk het maar!' Iedereen in de trein zou naar me kijken. De mensen zouden onder de indruk zijn van mijn betoog en ontroerd door mijn hartstocht. Daarna zouden ze afkeurend naar mijn vader kijken. Uiteindelijk zou ik weglopen, hem met open mond en volledig overdonderd achterlatend.

Maar ik ben hem nooit tegengekomen in de trein. Afgezien van een paar korte, opgelaten maaltijden bij McDonald's in het eerste jaar nadat hij was vertrokken, heb ik hem nooit meer gezien. Op een ochtend aan het eind van het eerste semester op de universiteit werd ik gebeld. Het was zes uur 's ochtends, dus al voordat ik opnam, wist ik dat er iets mis was. 'Q, met je moeder. Sorry dat ik je op dit tijdstip bel, lieverd, maar er is iets ergs gebeurd.' Hij had een hartaanval gekregen en was laat op de avond ervoor in Julies armen overleden. Blijkbaar had hij ook longkanker, maar daar wisten we niets van.

Dat was het dan. Het is er nooit van gekomen een van de twee scenario's met hem uit te werken. Julie schreef me ongeveer een maand na zijn overlijden een brief (we kregen er alle drie een) in een laatste wanhopige poging ons ervan te overtuigen dat hij echt van ons had gehouden: *Hij had het vaak over je. Hij durfde geen contact op te nemen, omdat hij wist dat hij je had teleurgesteld.* Ik wou dat ze dat niet had gedaan, want het achtervolgde me nog jarenlang. Had ik de eerste stap moeten zetten? Was het mijn schuld dat we elkaar nooit zagen? Had ik toch iets fout gedaan? Maar uiteindelijk besefte ik, eerlijk gezegd dankzij mijn therapeut, dat híj de volwassene was, de vader, degene die weg was gegaan. Het was niet mijn schuld.

Hoe gaat dat gedicht van Philip Larkin ook alweer?

Ze helpen je naar de kloten, je pa en moe,
al willen ze daar niet zo heen.
Ze stoppen je hun fouten toe,
doen er wat bij, voor jou alleen.

De mens geeft zijn ellende door…
Daarom geeft Larkin in de laatste regel als wijze raad ervoor te zorgen dat je zelf geen kinderen krijgt. Ik sta op het punt dat advies te negeren, maar hoe voorkom je dat de ellende toeneemt?

66

Dinsdag, 21.00 uur

Voor morgenochtend staan er weer een CTG en een echo gepland en dan wordt ook de groei van de foetus gecontroleerd. Volgens mij gaat alles prima daarbinnen. Mijn moeder stopt me de hele dag vol met gezond eten en de baby trapt als een bezetene zodra ik iets zoets heb gegeten. Ik vraag me af of ik vannacht een oog dicht zal doen. Dat komt door die kleine Schotse danser in mijn buik, maar ook doordat ik steeds aan die e-mail moet denken die ik vanmorgen stiekem heb gelezen.

Tom komt vandaag niet thuis. Hij belde een halfuur geleden om te zeggen dat hij vannacht doorwerkt. Ik vroeg of ik iets voor hem kon doen, eten kon laten bezorgen of zo, en toen viel er een lange stilte van verbazing. 'Dat kan ik zelf wel, Q,' zei hij uiteindelijk kil en afstandelijk. 'Ga naar bed. Ik zie je morgenavond weer. We moeten praten.'

Ik slikte moeizaam. Drie woorden die een vrouw met schrik vervullen. 'We moeten praten.' Ik vrees dat ik weet wat dat betekent.

67

Woensdagmiddag

Waarom kun je nooit een papieren zak vinden als je er een nodig hebt? Ik lig weer in het ziekenhuis en krijg bijna een paniekaanval.

Er is geen vruchtwater meer te zien. Alles is weg. Foetsie. Niemand weet waar het is gebleven. Ik snap er niets van. 'Hebt u vruchtwater verloren?' vroeg de gynaecologe. Alsof ik een bevroren waterleiding ben!

Ik lig aan de monitor. Hij piept. Ik zie het ene na het andere nummer verschijnen: 135, 142, 127, 132. Daar gaan we weer. Het bekende liedje.

Waar is Tom? Hij komt eraan. Hij is onderweg. Dat zei hij met een wat hysterische klank in zijn stem tegen me. Ik klonk zelf ook paniekerig toen ik hem op weg naar het ziekenhuis vanuit de ambulance belde. 'Je moet komen. Over een paar uur snijden ze me open. Ze willen wel op je wachten, maar niet lang meer. Schiet alsjeblieft op. Ik heb je nodig.'

Een uur geleden, in de donkere ruimte waar echo's worden gemaakt, liet Cherise de transducer over mijn bolle, strakgespannen buik door de gebruikelijke kwak blauwe smurrie glijden. De ene kant op, de andere kant op, zoekend naar zwarte vlekken. Ik keek naar het scherm boven mijn hoofd en zag de lange rij ruggenwervels, een kleine dinosaurus die krom tegen de onderkant van mijn buik lag. 'Geen zwart hier, een heel klein beetje daar. Hier nog wat, maar daar zit een hand in het midden dus dat telt niet,' zei ze tegen me. 'Ik moet dokter Weinberg bellen.'

De gynaecologe kwam gehaast en toch zakelijk binnen, ging op de kruk zitten, pakte de transducer en keek aandachtig naar het scherm. Ze mompelde: '1,2. 1,3. Hier niets. Wacht… Nee. 1,0 hier.' Ze hield de transducer even stil en begon opnieuw, liet hem helemaal naar de onderkant van mijn buik glijden en duwde er hard mee tegen de baby. Hij reageerde verontwaardigd. Er trok een golf door mijn buik toen hij zijn schouder naar haar toe draaide. Ze glimlachte spottend.

Mijn moeder, die naast me zat, hield mijn hand stevig vast. 'Hoe groot is hij?'

De gynaecologe drukte op wat knoppen en er verscheen een frons op haar voorhoofd. 'Vijf tot zes pond, denk ik,' zei ze, waarbij ze haar schouders ophaalde. 'Moeilijk te zeggen.'

Ik keek mijn moeder opgelucht aan en glimlachte. 'Dat is geen slecht geboortegewicht,' zei ik tegen haar. 'En hij heeft nog bijna een week om te groeien! Mijn keizersnede staat voor maandag gepland.'

Keken de gynaecologe en mijn moeder elkaar nou even aan?

Na nog een paar minuten flink geduwd te hebben, legde dokter Weinberg de transducer kalm en voorzichtig neer. Ze keek me aan. Haar gezicht had een vreemde kleur door het groene licht van het scherm. Haar neus leek ontzettend lang en haar jukbeenderen waren hoog en hoekig. 'Het zit erop,' zei ze vriendelijk tegen me. 'Ik wil dat u meteen naar het ziekenhuis gaat om dit kind te krijgen. Uw zwangerschap is voorbij.'

De lucht leek te vlug naar mijn longen te gaan en ik trilde. 'Voorbij?' vroeg ik, naar adem snakkend. 'Dat kan niet. Ik sta pas over vijf dagen op de lijst. Misschien draait hij uit zichzelf nog. Ik doe trouw mijn oefeningen,' zei ik. Opeens besefte ik dat ik tegen alle verwachtingen in heb gehoopt dat hij toch nog zou draaien, zodat ik normaal zou kunnen bevallen. Net zoals andere vrouwen, vrouwen in films, die met veel gekreun en geschreeuw persen, gevolgd door een moment van triomf na de geleverde prestatie.

Ze zei dat ze dacht dat hij geen vijf dagen meer kon wachten. 'Hij moet er nu uit. Er bestaat acuut gevaar dat hij de navelstreng dichtdrukt en zich zo van zuurstof berooft. Ik denk niet dat dit het komende uur zal gebeuren. U mag aan een monitor liggen tot uw man er is. Maar als zich in de tussentijd een probleem voordoet, wordt het een spoedkeizersnede. Trek uw jas aan. Ik bel een ambulance om u naar het ziekenhuis te brengen. U krijgt vandaag een kind.'

Lichten knipperden. Ik moest meteen aan de monitor. De ambulance trok een sprintje door het verkeer.

Ik werd op hoge snelheid in een rolstoel door beige gangen gereden. Blauwe vloeren kwamen op me af, roze deuren zwaaiden open. 'Weinberg heeft over deze patiënt gebeld. Ze is hier voor een keizersnede.' Ik kreeg een plastic armbandje om mijn pols. 'Doe uw kleren uit.' Weer zo'n gewaad met een split. Mijn lelijke figuur komt er aan de achterkant uit. Mijn huid heeft nog nooit zo wit geleken en die paarse striemen vallen meteen op. Daar komt binnenkort een snee dwars over mijn buik bij.

Tom, kom gauw. Dit hoef ik toch niet zonder jou te doen? Schiet op!

23.00 uur

Mijn zoon, Samuel Quincy, ligt naast me. Een nieuwe bladzijde voor een nieuw leven.

68

Donderdag, 13.00 uur

Afgelopen nacht mocht ik voor het eerst sinds elf weken uit bed.

Toen de verdoving was uitgewerkt, hebben de verpleegkundigen me uit bed geholpen en ben ik zelf naar de badkamer gelopen. Mijn buik doet ontzettend pijn. Ik stelde me vroeger wel eens voor hoe een goochelaarsassistente zich zou voelen nadat ze in een glinsterende doos in tweeën was gezaagd. Zo voel ik me nu, maar de wetenschap dat ik niet meer plat hoef te liggen, maakt veel goed. Eerst werd er morfine toegediend, maar nu krijg ik witte pilletjes die gemakkelijk door te slikken zijn en de ergste pijn van de incisie verzachten.

Mijn zoon slaapt. Hij lijkt bekaf van de afgelopen dagen en dat ben ik zelf ook. Hij heeft de neus, mond en kin van zijn vader, en hij heeft ongelofelijk donkere kijkertjes.

Ongeveer twintig minuten nadat Tom was gearriveerd, werd de baby uit mijn buik gehaald. Ik lag al onder een warme groene lamp en de voorbereidingen voor de operatie waren in volle gang toen Tom in een papieren pak binnenstormde, zodat hij wel een handlanger uit een James Bond-film leek in zo'n scène die zich in de krochten der aarde afspeelt. 'Ik ben blij dat ik er ben,' zei hij steeds. Mijn moeder trok zich stilletjes terug.

Toen ze me opensneden, hield hij mijn hand vast en keek me diep in de ogen. 'Doet het pijn? Hoe voel je je? Ben je misselijk? Hé, ze voelt zich niet lekker. Geef haar eens iets! Gaat het al beter?' vroeg hij lief. Ik voelde de chirurg onder mijn borstbeen op het hoofd van de baby duwen.

'Ik heb zijn benen vast en ik trek hem er nu uit. Ziezo!' riep de chirurg uiteindelijk. En toen wat harder: 'Een jongen met alles erop en eraan!'

Het was heel even stil en toen klonk er gehuil, waardoor mijn moederhart smolt.

De artsen van neonatologie onderzochten hem en namen toen hun karretje, hun instrumenten en hun couveuse mee naar een andere verloskamer, naar een andere vrouw, naar een andere baby. Ik zag hen gaan. Ze waren hier niet meer nodig. Onze zoon werd aan Tom gegeven, die overmand werd door emoties. Samuel Quincy keek zijn vader verbaasd aan.

We keken alle drie naar elkaar tijdens de twintig minuten die de chirurg nodig had om me te hechten. Tom en ik zochten naar gelijkenissen met zijn grootouders. De baby hield zijn mening voor zich.

Zo te zien heeft de baby er niets aan overgehouden, werd ons verteld, hoewel hij kleiner is dan de artsen hadden gehoopt. Hij weegt bijna vijf pond, is gezond en huilt krachtig en vastberaden. 'U zult nog heel wat met hem te stellen krijgen,' zei dokter Weinberg met een brede glimlach toen ze een paar uur na de geboorte kwam kijken. Ze streek met een vinger over zijn voorhoofd en we bedankten haar beleefd. Ze leek niet thuis te horen in deze kamer, was een overblijfsel uit een andere wereld, een ander leven dat al mijlenver achter ons ligt.

We hebben vannacht een tijdje geslapen, met z'n drieën in

dezelfde kamer, mijn man en ik met een nieuw gevoel van innige verbondenheid. Samuel dankt zijn bestaan aan onze liefde. Zijn kleine lichaam bewijst dat we van elkaar houden.

Vanmorgen, toen Samuel in mijn armen lag te slapen, kwam Tom naast ons op het bed zitten. Hij pakte mijn hand en keek me aan over het hoofdje van onze zoon. 'Q, ik moet je iets vertellen,' fluisterde hij, waarbij zijn blauwgroene ogen me strak aankeken.

Ik verstarde. 'Ah, Tom, nee,' fluisterde ik. 'Als je me gaat verlaten wil ik dat niet uitgerekend vandaag horen.' Ik streek met mijn vrije hand over de fijne krulletjes van onze zoon en voelde een hete traan langs mijn neus biggelen.

Mijn man kneep hard in mijn hand. 'Verdorie, Q, dat is het helemaal niet. Kijk me aan! Gisterochtend toen je vanuit de ambulance belde, zat ik in bespreking met Phil. Daar gaat het over.'

Ik zuchtte vermoeid. 'Ik snap het. Hij heeft gezegd wanneer je partner kunt worden. Het ging over uren, praktische zaken en dat soort dingen. Vertel dat maar een andere keer, Tom. Dat kan wel wachten tot ik weer thuis ben.'

'Q, luister nou,' zei Tom langzaam en voorzichtig. 'Zo is het niet gegaan. Hij heeft gezegd dat ze me niet als partner zullen voordragen. Het is voorbij, Q. Ik heb het niet gehaald. Ik word geen partner bij Crimpson.'

In mijn armen snuffelde baby Samuel. Vervolgens deed hij zijn kleine mondje open als een geeuwende kat. Hij zuchtte en ging dichter tegen mijn borst aan liggen.

Ik keek naar mijn slapende zoon en toen naar mijn man. Ik kon mijn oren niet geloven. 'Gaan ze je niet voordragen? Maar je hebt zo hard gewerkt, je doet het zo goed. Het is ongelofelijk. Dit moet een vergissing zijn, Tom,' zei ik stomverbaasd.

'Nee,' zei hij vermoeid. 'Dat is het niet. Misschien komt het door de afgelopen maanden. Dat gedoe met jou en de baby heeft me behoorlijk afgeleid. Maar wellicht heeft dat er ook niets mee te maken. Ik denk dat die missers van vorig jaar me nog steeds worden aangerekend en het heeft mijn zaak geen goed gedaan dat ik me de afgelopen weken, zoals Phil dat uitdrukt, "zelfgenoegzaam heb opgesteld" tegenover Randalls. Crimpson wil verbloemen wat er aan de hand is, wil de cliënt tegen elke prijs beschermen. En ik... Nou ja, dat weet je, Q. Jij zou het ook niet doen. Dat is een van de dingen die ik het meest aan je waardeer.' Hij probeerde me een warme kus bij mijn oor te geven. 'Die lui verdienen het om ontmaskerd te worden en ik weiger eraan mee te werken dat te verhinderen. Ik denk dat mijn kansen eigenlijk al langer verkeken waren. Phil zegt – daar heeft hij geen doekjes om gewonden – dat ze denken dat ik niet uit het juiste hout ben gesneden om partner bij Crimpson te worden. Ik moet dus een andere baan gaan zoeken. Je man is min of meer werkeloos. Hoe vind je dat?' In zijn ogen glommen tranen. Maar het drong opeens tot me door dat ik had verwacht dat hij daar veel verdrietiger over zou zijn.

'Het is de afgelopen maanden erg slecht gegaan tussen ons, lieverd. Ik ben je een verklaring schuldig. Ik wist eigenlijk al dat mijn kansen bij Crimpson verkeken waren. Ik probeerde als een gek om de touwtjes in handen te houden, zodat ik er beter voor zou staan. Toen het misging, wist ik niet hoe ik daarop moest reageren.'

Voorzichtig stak ik mijn hand uit over Samuels hoofd en raakte Toms gezicht aan. 'Ik heb gefaald, Q,' zei hij met verstikte stem. 'Maar degene die ik het meest teleur gesteld heb dat ben jij.'

Misschien heeft hij dat niet letterlijk zo gezegd, wilde ik dat vooral horen, maar ik weet zeker dat hij zoiets bedoelde. Of iets in die richting. Ik voelde opeens een golf van liefde voor hem.

Als het dan toch moest gebeuren, was het nu tijd om zelf iets op te biechten.

'Tom,' zei ik aarzelend, 'ik heb iets gedaan wat niet in de haak is.' Ik beet op mijn lip. Samuel lag tussen ons in. Hoe zou hij in het ergste geval reageren? 'Het is eigenlijk heel erg. Tom, ik heb de mensen die van Randalls huren de afgelopen maanden juridisch advies gegeven. Ik had vreselijk met hen te doen. Een paar dagen geleden heb ik... eh... in die grote zwarte archiefdoos gekeken,' zei ik, bijna over mijn eigen woorden struikelend. 'Die had je per ongeluk thuis laten staan. Ik vond een uitgeprinte e-mail over Randalls die je aan Phil had gestuurd en die heb ik gelezen.' Hij hapte naar adem. 'Wát heb je gedaan?' bulderde hij. Samuels kleine lichaam bewoog een beetje. Fluisterend herhaalde Tom zijn vraag: 'Wát heb je gedaan?'

Hij keek me met open mond van verbazing aan. Ik keek wat voor kaarten ik had en overwoog mijn speltactiek. Ik had een joker: 'Ik ben een dom gansje en ik heb iets stouts gedaan. Geef me een kus, slechterik, dan praten we nergens meer over.' Ik had ook een vrouw, die heerszuchtig en onaangedaan was: 'Waag het niet om met ethische bezwaren aan te komen, want wat jij hebt gedaan kan eveneens met geen mogelijkheid door de beugel.'

Uiteindelijk dekte ik me in. Dat leek effect te hebben. 'Waanzin, Q. Dat slaat nergens op, maar je zult wel gek geworden zijn doordat je de hele dag alleen thuiszat en dat was mijn schuld,' zei hij toen ik was uitgesproken. 'Eerlijk gezegd,' bekende hij met een vage glimlach om zijn mond, 'dacht ik al dat jij iets te maken had met die vurige brieven van Schuster die we via de post ontvingen.' Ik grijnsde en toen hij wegliep om een glas water te halen, slaakte ik een grote zucht van verlichting. Zijn loyaliteitsgevoel aan Crimpson vertoonde al barsten. Het viel me op dat hij in het korte liefdevolle gesprek dat fluisterend volgde steeds over 'hen' en niet over 'ons' sprak als het over zijn werk ging.

We wilden heftig zoenen, maar dat kon niet vanwege onze zoon die in diepe slaap tussen ons in lag. Toen alles was gezegd, keken we elkaar aan over zijn kleine lijfje heen en hielden elkaars hand stevig vast.

Tom is nu naar huis om babykleertjes en toiletspullen voor me te halen. Mijn moeder heeft de afgelopen nacht daar geslapen. Ze heeft zich keurig gedragen sinds de baby er is: rustig, tactvol en trots zoals een oma hoort te zijn. 'Hij is mooi, Q,' zei ze tegen me toen ik mijn zoon voor het eerst in haar armen legde. 'Prachtig. Je hebt een geweldige prestatie geleverd.'

69

18.00 uur

Vanmiddag zijn Brianna en Mark op bezoek geweest.

'Wat een schatje,' zei Brianna, toen ze in de wieg keek. 'Zit alles erop en eraan?'

Iedereen lijkt zich erover te verbazen dat hij geen twee hoofden heeft. Blijkbaar hebben ze er de afgelopen drie maanden allemaal rekening mee gehouden dat het tekort aan vruchtwater afschrikwekkende gevolgen zou hebben.

Mark haalde Samuel voorzichtig uit de wieg en legde hem als een ervaren vader over zijn schouder. 'Hij ziet er goed uit,' zei hij, waarbij hij glimlachend naar Tom keek. 'Ik ben heel blij dat het goed is afgelopen.' Hij kneep op een mannelijke manier in Toms schouder, gaf mij een kus op mijn wang en haalde een fles Piper-Heidsieck tevoorschijn. We dronken lauwe champagne uit wegwerpbekertjes en aten crackertjes die in de ontvangstruimte op de gang verkrijgbaar waren.

'Was het al dat platliggen waard?' vroeg Mark met een vage glimlach. Tom en ik keken elkaar aan en keken daarna naar Samuel, die in Marks armen lag. Of het de moeite was geweest? Natuurlijk. 'Q, ik heb dit nooit tegen je gezegd, omdat ik dacht dat dat funest zou zijn voor je zelfvertrouwen, maar ik ben er niet van overtuigd dat bedrust houden echt noodzakelijk was,' zei Tom ernstig. 'Ik heb het idee dat als er iets misgaat met de zwangerschap en de artsen niet weten wat ze moeten doen, ze de vrouw in kwestie bedrust voorschrijven. Allemaal wat ouderwets als je het mij vraagt. Maar goed, je brengt offers voor je kinderen, hè?' Hij keek glimlachend naar Samuel, die enthousiast zijn rechterarm in de lucht stak en tegen Marks kin aan sloeg. Je doet wat je kunt.

Hoewel niemand er iets over zei, dachten we allemaal aan Lara's zwangerschap. Mark zal over vijf maanden weer hier zijn om kennis te maken met zijn eigen zoon. Een kind dat het bij de geboorte, om het zo maar eens te stellen, al met één ouder minder moet doen. Ik weet dat Tom hetzelfde dacht, want toen hij Samuel van Mark aanpakte, gaf hij onze kleine jongen stiekem een zoen op zijn hoofd en hield hij hem dicht tegen zich aan.

Toen Mark, Tom en ik het hadden over de geboorte, borstvoeding en de vreemde mengeling van uitgelatenheid en uitputting die je voelt na de geboorte van een kind, leek Brianna zich slecht op haar gemak te voelen. Uiteindelijk deed ze er onzeker het zwijgen toe. Ik vroeg dingen aan haar waar ze wel over kon meepraten – werk, vrienden – maar ze wierp steeds een weemoedige blik op Mark, die in gedachten verzonken leek. 'Nadat Edward was geboren kon Lara een week lang amper staan. Het is afschuwelijk om de vrouw van wie je houdt zo te zien lijden. Edward was ten minste nog een rustig kind, heel anders dan Lucy, die huilde vanaf het moment dat haar hoofd eruit was.' Ik heb tegen Brianna gezegd dat we haar gauw een keer mee uit eten nemen om haar te bedanken voor haar vriendschap en steun de afgelopen maanden, maar ik weet niet of ze me wel heeft gehoord. Na een halfuur gingen ze weg in twee zeer verschillende werelden.

Fay was de volgende. 'Tussen wat cliënten door. Ik hoor hier eigenlijk niet te zijn, maar ik wil je dit' – een belachelijk groot boeket bloemen met een blauw satijnen lint eromheen – 'geven namens kantoor en ik wil zeggen dat we uitkijken naar je terugkeer.'

Dat zal wel.

'Ik kom ook melden dat Randalls inmiddels een toontje lager zingt. Stelletje gore... Hé, Tom!' zei ze, toen Tom met een nieuwe kan ijswater binnenkwam. 'Nou, eh... Q, je zult het ongetwijfeld allemaal nog wel van je vrienden horen, maar ik denk dat je tevreden zult zijn over de afloop. Als je weer aan de slag gaat, moeten we eens over pro-Deozaken praten. Ik ben bereid je meer ruimte te geven om in de toekomst vaker van dat soort zaken te doen. Zeg, ik moet ervandoor. Ik moet die stomme stukken archiveren. Waar is mijn aktetas nou weer gebleven?'

En weg was ze, opgeslokt in haar eigen drukke, eenzame wereldje.

Tien minuten later, op het moment dat ik mijn linkertepel in Samuels tegensputterende mondje probeerde te duwen, arriveerden mevrouw G. en Alexis. Mevrouw G. keek even toe terwijl we tevergeefs worstelden, liep toen naar ons toe, kneep zo in mijn tepel dat die de vorm van een kogel kreeg en streek daarmee over Samuels bovenlip. Hij deed zijn mond open alsof hij een klein vogeltje was en zoog zich stevig vast. Een paar tellen later hoorde ik slikgeluiden. Vroeger had ik het misschien opdringerig gevonden als iemand mijn tepel had vastgepakt, maar vandaag, na zestien uur geworsteld te hebben om mijn kind op eigen kracht te voeden, voelde ik alleen maar dankbaarheid. Alexis keek blijkbaar zeer geïnteresseerd naar buiten, terwijl mijn zoon zich vol dronk.

Mevrouw G. ging op de plastic stoel naast me zitten en haalde een doos chocolaatjes tevoorschijn en een wegwerpbordje met Griekse ingemaakte vruchten. Toen Samuel mijn borst had losgelaten omdat hij in een verzadigd coma was geraakt, omhelsde ze me stevig en vertelde dat haar vrienden in het gebouw ertegenover waren gered. Randalls komt nu in ieder geval over de brug met bijzonder hoge afkoopsommen. Sommige huurders zijn geneigd meteen toe te happen om van de hele toestand af te zijn, andere willen proberen er nog meer uit te slepen. Wat er ook gebeurt, of het gebouw uiteindelijk tegen de vlakte gaat of niet, de huurders met een vaste huur zullen er genoeg geld aan overhouden om voor de rest van hun leven een goed onderkomen te kunnen vinden. 'En ik weet dat we dat aan jou te danken hebben,' zei mevrouw G. plechtig. 'Jij hebt dit voor elkaar gekregen, lieve meid. Ik heb zelf ook een prachtig aanbod gekregen. Ze azen op mijn appartement. Ik denk dat ik het aanneem en op het platteland ga wonen. Ik ben al dat gedoe behoorlijk zat. Dan koop ik een leuk huisje voor mezelf waar ik kan koken en kan genieten. Maar ik zal jou wel missen, hoor!'

Ik zal haar ook missen. Ze is mijn beste en enige vriendin in de buurt. Ze omhelsde me nogmaals en drukte een kus op Samuels wang voordat ze wegging. Alexis glimlachte vaag naar me toen hij de deur uit liep. Ik zag hem met een gevoel van spijt gaan. Ik vond het leuk om de afgelopen weken naar hem te lonken. Ik zal hem wel niet vaak meer zien als mevrouw G. verhuisd is. Dan wordt hij iemand naar wie je vrolijk lacht op straat, totdat je daar op een dag mee ophoudt. Nou, dacht ik bij mezelf, toen mijn man glimlachend opstond van zijn plek in de vensterbank van het ziekenhuis, die heeft me een bobbel...

Lara kwam een uur later, met Edward en Lucy op sleeptouw. Ze zag bleek en had ingevallen wangen. 'Wat een mooie baby, Q. Ik ben erg blij dat het goed is afgelopen,' zei ze. 'Je moeder is een enorme steun geweest. Ze heeft de afge-

lopen twee dagen voor me gekookt en dat is echt verbazingwekkend als je bedenkt dat ze net een kleinzoon heeft gekregen. Ze heeft zelfs aangeboden me te helpen met boodschappen doen. Je mag blij zijn dat je zo iemand hebt. Mijn
eigen moeder is amper op de hoogte van mijn bestaan. Dat is
altijd al zo geweest. Lucy, houd op met Edwards broek naar
beneden te trekken. Stop daar nou eens mee! Is Mark al geweest? Nee, dat hoor ik niet te vragen. Sorry. Lucy, ik heb je
al een keer gewaarschuwd! Hij belde gisteravond om te zeggen dat hij en die andere vrouw willen trouwen zodra de
echtscheiding is uitgesproken. Het is moeilijk om je man
over trouwen te horen praten. Sorry Tom, ik hoor waarschijnlijk geen kritiek te leveren op je vriend, maar ik weet
niet of ik dit aankan. Lucy! Houd op! Ik moet gaan. Ze krijgen weer honger en ze hebben een paar zware weken achter
de rug. Ik kom een keer langs als je weer thuis bent, als dat
mag tenminste. Misschien gaan jullie in de toekomst liever
alleen met Mark om…'

Tom en ik verzekerden haar haastig dat we vrienden zouden blijven, al vraag ik me af of dat ook zal gebeuren. Als een
stel uit elkaar gaat, is het moeilijk om bevriend te blijven met
de helft waar je de minste binding mee had. Denkend aan de
woorden van mijn moeder zei ik dat als ze iemand nodig had
om bij haar te zijn tijdens de bevalling ik dat gerust wilde
doen. Ze bedankte me, maar ik weet niet of ze wel hoorde wat
ik zei, want het was Lucy eindelijk gelukt Edwards broek helemaal naar beneden te trekken en ze probeerde ijsklontjes in
de pijpen te stoppen.

Jeanie en Alison hebben de afgelopen uren allebei gebeld
om me te feliciteren. Jeanie gaf Dave ook even en we wissel-
den schoorvoetend beleefdheden uit. Alison liet Serena en
Geoffrey ook aan de lijn komen en ik heb mijn best gedaan
om aardig te zijn. 'Jullie hebben er een neefje bij,' zei ik, 'en hij

zal het heel leuk vinden om met jullie te spelen. Jullie zullen heel goede vrienden worden.'

Mijn moeder is een groot deel van de dag hier geweest, hoewel ze af en toe wegglipte om boodschappen te doen. 'Je zult bij thuiskomst een goed gevulde koelkast aantreffen, Q, en ik probeer wat maaltijden voor je in te vriezen voor als ik weer naar huis ben. Ik weet dat ik geen keukenprinses ben, maar je bent vast blij met wat ingevroren hartige taarten. Of niet soms?' Ze heeft een relletje veroorzaakt door een verpleegkundige ervan te beschuldigen dat ze Samuel mishandelde. 'Sorry, lieverd, maar ze ondersteunde zijn hoofdje niet goed. Wat had ik dan moeten doen? Zwijgend moeten toekijken terwijl mijn kleinzoon zijn nek brak?' Los daarvan heeft ze zich voorbeeldig gedragen. Dat kan natuurlijk niet goed blijven gaan.

Peter en Lucille belden een paar uur geleden om te zeggen dat ze vanuit Baltimore onderweg waren en dat ze er later op de avond zouden zijn. 'Peter heeft het van de week zo druk, dat kun je je haast niet voorstellen, maar hij maakt tijd vrij om naar zijn, eens even denken, vierde kleinkind te komen kijken,' zei Lucille minzaam tegen me, voor het geval ik mocht denken dat ik een grotere rol in Peters leven speel dan ik in werkelijkheid toebedeeld heb gekregen. 'We weten dat je ontzettend teleurgesteld zou zijn als het ons niet zou lukken om bij jou en de baby op bezoek te komen, dus we zetten alles op alles...' Tom nam de telefoon van me over op het moment dat ik naar adem begon te happen. 'Het geeft niet, mam, we vinden het echt niet erg... Nee, mam, we zullen het je echt niet kwalijk nemen... Je hoeft echt niet... Ja. Goed. Jullie zijn er rond een uur of negen. Tot dan.' Hij hing met zo'n geërgerde blik op dat ik lachte. Luchtig, blij. Laat Peter en Lucille maar komen. Ik kan ze wel aan. Tom zal het nieuws over Crimpson moeten vertellen, dat hij geen partner wordt, maar niet vandaag. We hebben afgesproken dat hij dat een andere keer doet. Misschien gaan we eerst een verre reis maken, wellicht naar de Noord- of naar de Zuidpool, en dan bellen we daarna om het te zeggen.

Tom en ik kijken naar Samuel en dan naar elkaar en denken na over de toekomst. Ik weet niet hoe het verder moet. We hebben het nog niet gehad over wat voor baan hij wil en ook nog niet over mijn carrière. Hoe zal het over een jaar met ons gaan? Wonen we dan nog steeds in Manhattan en voeden we onze zoon op terwijl we ons in allerlei bochten wringen om werk en privéleven te combineren? Of zijn we eindelijk naar een voorstad verhuisd en is onze droom over een Viking-fornuis uitgekomen? Of leggen we ons neer bij een enorme salarisvermindering, gaan we heel ergens anders wonen, vertragen we ons levenstempo en hebben we misschien een kleine moestuin? Ik weet het niet, maar voor het eerst sinds maanden zie ik ons met z'n drieën bij elkaar wonen als ik aan de toekomst denk en dat bevalt me wel. Ik zet een nieuw punt op de lijst van dingen die een moderne vrouw gedaan moet hebben voor haar dertigste:

Maak er geen obsessie van alle punten af te vinken. Laat de boel op z'n beloop. ✓

Ik luister naar de ademhaling van mijn zoon. In, uit. In, uit. Zijn borstkas zwelt op en daalt. Ik volg met mijn vinger de kleine bloedvaten in zijn pols die bloed door zijn lichaam vervoeren: naar zijn longen, naar zijn hart. Ik zie zijn oogleden knipperen en zijn neusvleugels trillen. Ik snuffel aan zijn oren, een onbegrijpelijke fijne constructie van huid en kraakbeen. Ik neem zijn opgekrulde lijfje – licht, warm en rimpelig roze – in mijn armen, waar hij volmaakt in past, zoals een kopje bij een schotel hoort. En ik denk bij mezelf: ik heb hem gemaakt. Het is me gelukt!

Dankwoord

Heel veel dank aan Daniel Markovits en Sharon Volckhausen voor hun zeer bruikbare suggesties en adviezen over het reilen en zeilen op een advocatenkantoor en over huurrecht. Daarnaast wil ik Daniel een compliment geven omdat hij ongeveer zeventien versies van deze roman heeft doorgelezen en van commentaar heeft voorzien, en omdat hij me heeft gestimuleerd dit verhaal te schrijven.

Ik wil mijn agenten Kathy Anderson van Anderson Grinberg en Kevin Conroy-Scott van Conville and Walsh bedanken voor hun voortreffelijke begeleiding de afgelopen jaren. Benjamin Markovits ben ik erkentelijk voor zijn wijze en praktische raad over schrijven en uitgeven. Tot slot verdienen Alison Callahan, Jeanette Perez en alle anderen bij HarperCollins een pluim voor hun geweldige redactionele begeleiding en hun hartelijke, gulle steun.